Suzanne C. '81

Nourriture spirituelle

Jacques Paquette

Troisième édition
Février, 1981

INTRODUCTION

En ce monde actuel de controverses, de remises en question, de changements, voire même de bouleversements, l'homme est à la recherche d'un je ne sais quoi, qui le hante au plus profond de lui-même, d'une dimension, d'une partie de lui-même que tout, ou presque, dans notre société contemporaine s'efforce de nier ou de détruire; sa nature spirituelle, qui est en fait sa vraie nature.

Il n'est donc pas peu dire que l'homme civilisé d'aujourd'hui est très dénaturé. Il se retrouve trop souvent seul face à lui-même, en proie au désarroi, dans une société qui ne peut qu'amplifier cet état d'âme.

Notre société est malade, parce que l'homme est malade au plus profond de lui-même et sa maladie fait boule de neige pour créer ce malaise généralisé, ce cauchemar camouflé qu'est le XXe siècle. L'harmonie ne doit pas se faire à l'extérieur de l'homme, c'est-à-dire dans les structures de la société premièrement, mais bien à l'intérieur de l'homme. Faisons l'harmonie en nous, ainsi nous pourrons répandre l'harmonie autour de nous. Il est urgent, je dirais d'une urgence capitale, que le monde actuel réalise l'importance de revenir à lui-même, c'est-à-dire à sa vraie nature.

Ce livre, qui est le fruit d'innombrables heures de lecture, filtrées pour n'en garder que la mince part qui oriente vers le spirituel, qui provoque ce retour de l'homme vers sa première nature spirituelle; ce livre, dis-je, se veut un catalyseur, qui, finalement, mène infailliblement à Dieu.

En tant que chercheur, en tant que lecteur acharné, je puis dire en toute honnêteté que ce livre recèle une richesse incomparable, puisée justement là où notre société ne cherche plus : l'héritage spirituel de l'humanité passée.

Ayant moi-même lu des centaines d'ouvrages de morale, de philosophie, de science, de lettre, j'ai trouvé dans ce livre de si simples, mais percutantes réponses à une foule de questions fondamentales de l'être humain.

L'extraordinaire de ce livre, plutôt de l'auteur, c'est qu'il a su, grâce à un discernement spirituel mûri par les années, recueillir cette richesse spirituelle laissée par tous les penseurs qui nous ont précédés. Car, en fait, au travers des siècles de l'humanité pensante, l'homme de toujours, en tant qu'être pensant, est resté toujours le même, il n'a pas changé : il est un être qui se cherche, et ce gouffre infini de questions qui le hante, l'homme est impuissant à le combler. Toutefois, s'il est sincère dans sa recherche, en cherchant la vérité, il trouvera Dieu.

Guy Corcoran

Il (l'homme) a faim dans l'abondance, il est seul dans la multitude.

A.C.

L'homme se révolte contre un univers qui le comble de biens matériels, sans lui donner le bien suprême, qui est la joie de vivre.

A.C.

Chacun a la conviction de passer à côté de l'existence qu'il devrait connaître.

A.C.

L'homme est un être bidimensionnel, son âme est sa deuxième dimension, sa dimension spirituelle. Car en fait, il n'alimente et ne satisfait qu'une partie de son être...L'autre crie sa faim!

A.C.

Doublez, triplez même à un enfant sa ration de protéines et ôtez-lui l'affection d'une maman, vous aurez beau faire, il en sera perturbé. Un bon lit, du bon lait, de beaux jouets, tout ce baby-confort ne remplira jamais ce vide en lui, qui a la forme d'une maman.

A.C.

Un auteur célèbre a dit qu'il y a dans le coeur de l'homme un vide qui a la forme de Dieu. Dans nos moindres fibres en effet, nous avons été faits de telle manière que si nous sommes sans Dieu, ça ne tourne pas rond, quelque chose est comme cassé en nous...nous sommes en panne!

A.C.

Il est vrai que l'angoisse de nos jours est un

phénomène qui tend à se généraliser. Qu'elle est pénible...quand elle nous tient! Nous tentons tant bien que mal de la noyer dans l'alcool, la drogue, l'absorption massive de tranquilisants ou encore dans une vie abusivement active. Hélas, elle sait nager!

A.C.

Il y a plusieurs causes à nos angoisses, mais trois au moins nous paraissent assez saillantes pour être considérées de près. Tout d'abord, certaines angoisses nous viennent lorsque, *face à nos problèmes de vie, nous sommes sans solution.*

Une seconde source d'angoisse vient du *refoulement de la conscience. Cette conscience, Dieu l'a donnée comme une lampe intérieure.* Ne l'avons-nous pas souvent maudite quand elle tentait de nous freiner sur la pente du mal?
Bousculée, bafouée, que de fois elle a vacillé quand elle ne s'est pas éteinte! Qu'elle est insupportable quand elle jette une lumière sur nos fautes, nos pensées cachées, nos intentions mauvaises! Nous la chassons et la refoulons pour qu'elle se taise. C'est alors qu'elle nous angoisse. «Trouble et angoisse, dit l'Ecriture, sur tout homme qui fait le mal».

A.C.

Une troisième cause à nos angoisses : *le refoulement de Dieu.* L'angoisse métaphysique, a dit le docteur Oscar Forel, demeure le problème humain fondamental. Qu'ils sont anxieux ceux qui pensent que Dieu n'existe pas ou qu'il est mort, même quand ils sont philosophes ou hommes de science!

A.C.

Le Dr Jung, éminent psychologue, a osé dire que tout homme de plus de 35 ans, inconsciemment ou consciemment, est dominé par l'angoisse de la mort. N'a-t-il pas avoué tout haut ce que chacun éprouve et pense tout bas?

Le Dr. Reys, psychologue lui aussi, constate qu'on peut même risquer l'accident mental si les questions fondamentales de l'existence restent sans réponse : «Combien de nos malades mentaux, dit-il, sont tourmentés par un sentiment de culpabilité. Il montre à l'analyse des problèmes de vie non résolus».

A.C.

Le Dr. Maeder, spécialiste de ces questions, ne frappe-t-il pas un grand coup en affirmant que nous savons maintenant qu'il existe chez l'homme un refoulement de la conscience et que l'angoisse est une maladie de la conscience. L'homme est donc malade au niveau de sa conscience! Nos savants rejoignent la Bible sur ce point. Quant au remède, c'est autre chose...

A.C.

On n'a pas besoin d'être intelligent pour être athée. N'importe quel stupide peut nier le surnaturel.

Eisenhower

Je suis encore à rechercher la Vérité.

Paroles de Bouddha à la fin de sa vie.

Vous ne pouvez pas changer les faits, mais vous pouvez changer d'opinion. La résurrection de Jésus est un fait historique.

La vérité n'est, malheureusement, pas toujours ce qu'on voudrait qu'elle soit, mais elle est froidement ce qu'elle doit être.

L'humanisme n'a rien de neuf en soi, c'est le fait de céder à la première tentation d'Adam et d'Eve : «Vous serez comme des dieux». Gen. 3 :5

David Winter

Plus l'homme apprend, moins il connait. C'est ainsi que beaucoup de savants en sont venus à confesser leur foi en Dieu.

David Winter

Nous ne devrions pas trouver étrange le fait d'être dans l'impossibilité de saisir Dieu intellectuellement alors qu'il est également impossible d'expliquer bien des mystères dans le domaine de la matière.

David Winter

Il existe une évidence scientifique qui pourrait prouver l'existence de Dieu : ce qui est en mouvement doit être mu par quelque chose d'autre car le mouvement est la manifestation de la puissance sur la matière. Dans le monde matériel il ne peut y avoir de puissance sans vie et cette vie présuppose un être duquel émane la puissance de mettre en mouvement des choses telles que les marées ou les planètes.

Votre poste de T.V. peut se retrouver dans votre chambre, éteint, silencieux et mort, sans que ce soit la faute des producteurs de programmes. Ils émettent des émissions de plusieurs stations qui, elles, sont en parfait état de marche. Mais c'est à vous de tourner le commutateur de votre appareil et de synthoniser le bon canal. Dieu souvent, veut se mettre en contact avec l'homme mais si l'homme ferme son coeur à Dieu, que peut-Il de plus?

Quand vous instruisez l'esprit d'un homme sans vous occuper de sa moralité, vous préparez une menace pour la société.

Théodore Roosevelt

La guerre doit d'abord être ôtée du coeur de l'homme avant de l'être des champs de bataille.

David Winter

On raconte qu'un homme conduisant un Ford tomba soudain en panne. Il sortit et regarda son moteur mais il ne put trouver la cause de son arrêt. Pendant qu'il attendait de l'aide, une autre voiture apparut et s'arrêta. D'une Lincoln dernier modèle descendit un homme grand et jovial qui lui demandait ce qui se passait. «Je n'arrive pas à faire partir cette Ford» fut sa réponse. Le nouveau venu fit quelques retouches sous le capot et puis lui dit : «Essayez maintenant». Le moteur se mit en marche et le propriétaire de la Ford, reconnaissant, se présenta, puis demanda : «Puis-je savoir votre nom, monsieur? Mon nom, répondit le dépanneur, est Henry Ford!

Quand la fille de Joseph Staline, Mme Allilueva, vint en Amérique, elle déclara, elle qui avait été élevée dans l'athéisme intellectuel : «Je ne pouvais plus vivre dans un monde où il n'y avait pas de Dieu». Puis elle dit encore : «Partout en Union Soviétique il y a des croyants, même dans le parti communiste».

Au fur et à mesure que par la science et la technique il maîtrise l'univers, l'homme perd la maîtrise de son univers intérieur. Il veut diriger l'univers, il ne sait plus diriger sa propre personne.

Michel Quoist

Même si tu es étendu sur un lit, complètement paralysé, même si tu es prisonnier au fond d'une cellule de condamné, si tu le veux, tu peux demeurer libre, car ta liberté d'homme ne se situe pas au niveau de ton corps, mais au niveau de ton esprit.

Michel Quoist

Il est bon d'orner la pièce d'un lustre magnifique, mais qu'importe le lustre si la lumière n'est pas branchée. Si Dieu t'a donné un corps harmonieux, un visage joli, remerçie-le : mais qu'importe ton corps si l'esprit n'y vit pas.

Michel Quoist

La nourriture te profite, si tu la mâches. Toute ta vie t'enrichira, si tu la réfléchis personnellement.

Michel Quoist

Plus l'eau passe lentement dans la cafetière, meilleur est le café.
Prend le temps de faire passer ta vie au filtre de ton esprit et de ta conscience, et ta vie sera réussie.

Michel Quoist

Pascal l'affirmait déjà à un incroyant : «D'accord, je ne puis vous prouver l'existence de Dieu : mais vous, vous ne pouvez pas me prouver non plus qu'il n'existe pas».

«Les savants nous enseignent «par quoi» les choses sont et moi parmi les choses. Ils ignorent «pourquoi» les choses sont; et pourquoi moi je suis».

Platon

La Suède, ce pays le plus heureux tient pourtant le record des suicides.

Marcel Marguigny

Autrement dit, l'homme s'est exalté lui-même en niant la supériorité de Dieu. Mais il a fait comme le bûcheron qui scie la branche sur laquelle il est assis. Sa libération a pris le caractère d'une chute libre.

Marcel Marguigny, auteur de : Dieu, Mythe ou Réalité?

La foi, n'est pas un tranquilisant. Encore moins ce soi-disant «opium du peuple». La foi est un combat, une lutte de tous les instants.

Marcel Marguigny

On a bien pu, paraît-il, reconstituer scientifiquement une cellule, on n'a jamais pu lui donner la vie. Il y manque l'étincelle divine.

Marcel Marguigny

Notre terre a 40,000 km de circonférence, c'est déjà respectable. Mais le soleil, lui, est 1,300,000 fois plus gros. Or, le soleil est une des plus petites étoiles.

Notre oeil, lui, c'est l'appareil photographique le plus perfectionné que l'on puisse rêver.

Marcel Marguigny

Qui n'a entendu parler de l'admirable savoir-faire des abeilles? Elles sont organisées en république, malgré une reine à leur tête. Chacune a sa fonction et toutes se comprennent. Elles ont d'ailleurs, paraît-il, un langage à elles. Bref, tout est régi par l'instinct de la race, lois générales de l'espèce, force anonyme et mystérieuse où personne ne commande et où tous obéissent. Mais cet instinct, toujours le même il a bien fallu que quelqu'un le leur donne...au début?

Marcel Marguigny

Les vibrations du tympan sont transmises à une

harpe de 6,000 cordes; et 18,000 cellules transmettent ces sons au cerveau.

Marcel Marguigny

Le cerveau a 10 milliards de cellules nerveuses. Or ces cellules se prolongent aussi en des milliards de fils conducteurs qui vont aller dans le corps entier. Dans chacun de ces fils entourés d'un manchon isolant, passe un courant à la vitesse de 100 km heure. Et dans tous ces fils, il y a des relais, des postes de commutateurs. Le poste de radio le plus compliqué, le Central téléphonique le plus moderne, ne paraîtrait qu'un simple jeu d'enfant à côté de ce cerveau que rien au monde ne peut égaler et n'égalera jamais. Et l'on voudrait n'y voir là que le jeu du hasard?

Marcel Marguigny

Notre coeur est une pompe qui fonctionne nuit et jour, sans arrêt, ignorant la fatigue. Cent mille coups de piston par jour. Plein d'astuce, cependant, il a quand même l'intelligence de se reposer quelques secondes entre chaque battement. De sorte qu'en définitive il ne totalise, en marche normale, que 12 heures de travail sur 24. Par ce repos alterné, il arrive ainsi à éviter l'usure prématurée.

Marcel Marguigny

Et voici que l'histoire naturelle et la géologie viennent une fois de plus donner raison à Moïse. La science estime en effet que les poissons (et les monstres marins) et les oiseaux sont précisément les premiers êtres qui ont paru et cela dès l'ère secondaire.
6ième jour : création des animaux terrestres. Ce que la science confirme en disant que les quadrupèdes sont venus longtemps après les précédents animaux et à l'ère tertiaire.

Marcel Marguigny

Quant à cette souffrance physique ou morale, fruit de notre pauvre nature humaine, si Dieu n'existait pas et que nous n'ayons pas une âme immortelle, s'il n'y avait pas un autre monde pour le rétablissement de la justice et la récompense des valeurs, alors le problème de la souffrance deviendrait complètement insoluble. Notre vie elle-même ne serait vraiment plus qu'une ridicule et tragique absurdité.

La foi paraît donc seule capable de donner une solution juste et logique au problème de la vie, au problème de la souffrance.

Marcel Marguigny

L'action de Jésus-Christ fut si puissante que même la numération des années en fut modifiée et on recommença à compter le temps depuis sa naissance.

Marcel Marguigny

Quels que soient même les fondateurs de religion, aucun n'a jamais revendiqué un tel titre : Fils de Dieu. Mahomet par exemple, ne s'est présenté que comme un prophète. «Allah est Allah et Mahomet est son prophète».

Marcel Marguigny

Tout le mal de l'homme vient précisément de ce qu'il est plus qu'un corps, plus qu'un accident biologique. Sa soif d'harmonie, de plénitude et d'absolu le prouve. Ce monde matérialiste qu'il s'est donné l'étouffe et le pollue. L'univers des cinq sens dans lequel il se résigne à vivre, vaille que vaille ne le satisfait pas et lui cache d'autres horizons.

A.C.

Ce n'est pas la société qu'il faut changer d'abord, mais l'homme : son coeur, son intelligence, sa mentalité. Sinon c'est mettre la charrue avant les boeufs.

A.C.

Mommsen, le grand historien de l'Empire romain, appelle la Résurrection le fait le mieux prouvé de l'histoire.

Supposez que vous puissiez parler avec un embryon et que vous lui disiez que la vie embryonnaire est brève et sera suivie d'une autre vie véritable et longue. Que vous répondra-t-il? Tout justement ce que vous, les athées, vous nous répondez quand nous parlons du ciel et de l'enfer. Il vous dira qu'il n'y a qu'une vie, celle qu'on mène dans les entrailles de sa mère, et que tout le reste n'est que superstition. Mais si l'embryon pouvait raisonner, il se dirait à lui-même : «Voilà qu'il me vient des bras! je n'en ai nullement besoin. Je ne peux même pas les étendre. Pourquoi me viennent-ils? Probablement en prévision d'un stade futur de mon existence pendant lequel j'aurai besoin d'eux. Des jambes me poussent aussi, et je suis obligé de les replier contre ma poitrine.

Pourquoi ces jambes? Probablement parce que je vais avoir à vivre dans un autre monde où je devrai marcher. Des yeux aussi? Dans ces épaisses ténèbres où ils ne me servent de rien? Pourquoi? Probablement parce que je vais passer dans un univers de lumière et de couleurs». Bref, si l'embryon pouvait réfléchir sur son développement, il comprendrait qu'il existe une vie hors des entrailles maternelles, une vie qu'il ne connaît pas encore. C'est la même chose pour nous. Aussi longtemps que nous avons la jeunesse, nous avons la force et nous ne savons pas en user convenablement; puis quand, avec les années, nous avons grandi en science et en sagesse, le corbillard vient nous prendre pour nous mener au tombeau.

Pourquoi donc avions-nous grandi en science et en sagesse puisque cela ne nous sert plus à rien? Pourquoi des bras, des jambes, des yeux viennent-ils à l'embryon? C'était en prévision de ce qui allait suivre. Et nous, si nous grandissons en science et en sagesse, en expérience, en connaissances, c'est en prévision de ce qui doit suivre. Elles nous préparent à servir à un niveau plus élevé qui suit la mort.

R.W.

Au cours d'un meeting athée, un professeur communiste démontrait que Jésus ne fut pas autre chose qu'un magicien. Il avait devant lui un pichet d'eau. Il y versa une poudre et l'eau devint rouge. «Voilà tout le miracle, expliqua-t-il, Jésus avait caché dans ses manches une poudre comme celle-ci; il prétendit ensuite qu'il avait fait le miracle de changer l'eau en vin. Hé bien! regardez! Je vais, moi, faire mieux encore que lui : je vais changer le vin en eau». Et il versa une autre pincée de poudre dans le liquide qui vira en blanc, puis redevint rouge avec une autre pincée etc. Un chrétien se leva et dit : «Ce que vous venez de faire nous a beaucoup intéressés, camarade professeur. Nous ne vous demanderons qu'un petit détail supplémentaire : buvez un peu de votre vin». «Impossible, dit le professeur. Cette poudre est un poison». Voilà, constata le chrétien, ce qui fait la différence entre Jésus et vous. Lui, avec son vin, nous a versé deux mille ans d'allégresse, et vous, avec le vôtre, vous nous empoisonnez.

R.W.

Un orateur communiste donnait un jour dans une usine une conférence sur l'athéisme. Tous les ouvriers avaient reçu l'ordre d'y assister et parmi eux se trouvaient beaucoup de chrétiens. Tranquillement assis, ils écoutèrent les arguments avancés contre Dieu et la stupidité de la foi au Christ. Le conférencier s'efforçait de démontrer qu'il n'y a pas de monde spirituel, ni de Dieu, ni de Christ, ni d'au-delà et que l'homme n'est que matière sans âme. «Il n'y a que matière, répétait-il, seule la matière existe». Un chrétien se leva et demanda la parole. Elle lui fut accordée. Il saisit alors sa chaise pliante, la leva, la jeta à terre et resta immobile un moment à la regarder. Après quoi il alla gifler le conférencier. Celui-ci fut pris d'une violente colère. Le visage rouge d'indignation, hurlant des obscénités, il appela ses camarades communistes pour faire arrêter l'audacieux.
«Comment as-tu osé me souffleter? et pourquoi»?
«Vous venez de vous prouver vous-même, répliqua le chrétien, que vous êtes un menteur. Vous nous avez dit : tout est matière, rien que matière. J'ai pris une chaise et je l'ai jetée par terre. Elle est vraiment matière, elle ne s'est pas mise en colère, elle n'est

rien que matière et la matière ne peut pas devenir folle de colère. Mais vous, quand je vous ai giflé, vous n'avez pas réagi comme la chaise; au contraire, la colère vous a rendu furieux. J'en conclus, camarade professeur, que vous avez tort. Nous sommes des êtres spirituels».

R.W.

Pendant un autre procès, à un juge qui lui objectait en ricanant : «Votre religion est antiscientifique», l'accusée, une étudiante, riposta : «Etes-vous plus savant qu'Einstein ou que Newton? C'étaient des croyants. Notre univers porte le nom d'Einstein : j'ai appris à l'Ecole Supérieure qu'on le nomme l'univers einsteinien. Eh bien, Einstein a écrit : «Si nous purifions le judaïsme des Prophètes et le christianisme enseigné par Jésus de tout ce qui est venue ensuite, nous avons une religion capable de préserver le monde de tous les malaises sociaux. Tout homme a le devoir sacré de faire de son mieux pour le triomphe de cette religion». Rappelez-vous aussi notre grand biologiste Pavlov, dont nos livres nous disent qu'il était chrétien. Et Marx lui-même, dans la préface de son Capital, écrit : «Le christianisme avec son culte de l'être humain abstrait, est la religion la plus indiquée.» Comment vous, des marxistes, pouvez-vous me juger pour cela»?

R.W.

Leur scepticisme fondait à l'approche de la mort. Si un chat traverse un pont, cela ne veut pas dire que le pont est solide, mais si un train le franchit, c'est la preuve qu'il l'est. De même si un homme déclare qu'il est athée alors qu'il bavarde avec sa femme devant une tasse de thé, il n'apporte pas la preuve de son athéisme. Une conviction sincère peut survivre à une énorme pression, l'athéisme ne peut pas.

R.W.

Il est rationnel de croire que le Christ est ressuscité d'entre les morts; sinon nous devons accepter l'impossible : à savoir que l'Eglise qui a survécu aux assauts externes et aux corruptions internes depuis deux mille ans, repose sur un mensonge. Réfléchissez simplement à ceci : Jésus, durant sa vie terrestre n'a pas organisé une Eglise, n'a pas écrit de livres. Il était entouré d'une poignée de pauvres disciples et l'un d'eux l'a trahi pour de l'argent, pendant que les autres s'enfuyaient ou le reniaient. Il est mort sur la croix en criant : «Mon Dieu, mon Dieu, pourquoi m'as-tu abandonné?» On roula une grosse pierre devant son tombeau. Serait-ce rationnel de croire que Pierre et les disciples ont été crucifiés pour un menteur?

R.W.

Parlez de cette stupidité à Gagarine. Il est monté dans l'espace, mais il n'a pas rencontré Dieu. Si une fourmi se promène sur la semelle de ma chaussure elle dira qu'elle n'a vu aucune trace de Wurmbrand.

R.W.

A DES COMMUNISTES

Beaucoup d'entre vous viennent de parler contre le Christ, mais qu'avez-vous contre lui? Vous parlez du prolétariat, Jésus n'était-il pas charpentier? Vous dites que celui qui ne travaille pas n'a pas le droit de manger, mais il y a longtemps que saint Paul l'a dit dans l'épître aux Thessaloniciens. Vous vous élevez contre la richesse, mais Jésus a chassé les marchands du temple à coups de fouet. Vous voulez le communisme, mais souvenez-vous que les premiers chrétiens vivaient en communauté et partageaient tout ce qu'ils avaient. Vous souhaitez élever les pauvres, mais dans le Magnificat, il est dit que Dieu exaltera le pauvre au-dessus du riche. Tout ce qui est bon dans le communisme vient du christianisme.

R.W.

Le monde est plein de petits partis communistes qui attendent. Lorsqu'un tigre est jeune, vous pouvez jouer avec lui, lorsqu'il sera devenu adulte, il vous dévorera.

R.W. Mes prisons avec Dieu

J'ai consacré dix ans de ma vie à étudier les moyens d'éviter un engagement nucléaire; je pense que la guerre est inévitable, et qu'il y a aucun rayon d'espoir.

Dr. Norman Alcook - ancien physicien (savant)

J'ai récemment parlé au Premier ministre d'un pays européen. Nous avons discuté de l'avenir du monde, il m'a dit : «Les problèmes que nous affrontons sont insolubles. J'ai bien peur que nous n'ayons aucun avenir.»

B.J.

Pourquoi l'homme est-il si pervers? Parce qu'il est atteint d'une maladie spirituelle appelée le péché.

B.J.

Un premier ministre anglais a déclaré que la terreur de l'homme n'est pas vraiment la bombe H, mais le coeur humain.

B.J.

L'opium est devenu la religion du peuple.

B.J.

L'humanité n'a rien de bon.

Aristote

Un jeune homme m'a dit : «J'ai perdu la foi? Je lui ai répondu : «Non, vous avez perdu la foi de vos parents, vous avez besoin de votre propre foi.»

B.J.

Un jour dans la ville de New-York, les tailleurs, les coiffeurs, les maquilleurs, les plus renommés s'unirent pour démontrer l'excellence de leur profession. Ils allèrent chercher le plus beau clochard qu'ils purent dégotter dans les ruelles, et lui proposèrent de l'amener à titre de cobaye. Quelques temps après, ils l'amenèrent sur la scène et le montrèrent à la foule. Cet homme avait l'air d'un vrai playboy. Mais trois jours plus tard il était dans le même ruisseau, saoul, d'où il était sorti auparavant. Les professionnels avaient peut-être réussi à lui donner une apparence nouvelle, mais n'avaient aucunement changé sa manière de penser,

et ses aspirations étaient toujours les mêmes.
B.J.

My body has been a good friend, but I won't need it when I reach the end.
Cat Stevens

When you got nothing, you got nothing to loose.
Bob Dylan

Kick out the devil's sin, and pick up a good book now. (the Bible)
Cat Stevens

You know wherever you go, the world will follow.
Cat Stevens

Partout où tu vas, tu emportes ton cancer avec toi.

Il n'y a pas d'horloge sans horloger.
Voltaire

Il y a des milliers de religions dans le monde, mais un seul Evangile.
B.J.

Sans un réveil moral et spirituel, il n'y a aucun espoir pour le monde.
Dwight Eisenhower. Ancien président des Etats-Unis

Le secret du bonheur, n'est pas de faire ce qu'on aime, mais d'apprendre à aimer ce qu'on doit faire.
Le roi George V

LA FOI C'EST SEMBLABLE A :

Il y a quelques années un exhibitionniste donnait un spectacle. Il avait mis un fil de fer au-dessus des chutes Niagara. Avant de s'y engager, il dit à la foule qui le regardait : «Croyez-vous que je puis traverser et revenir sans tomber?» la foule dit «Oui». Cet homme traversa et réussit. Alors il dit : «Maintenant croyez-vous que je puis traverser en poussant une brouette?» la foule dit : «Oui». Et il traversa et réussit encore. Alors il dit : «Croyez-vous que je puisse traverser avec trois poches de patates dans la brouette?» La foule dit : «Oui». Il y alla et réussit encore une fois. «Maintenant» dit-il «pensez-vous que je puis le faire avec un homme dans la brouette»? La foule dit : «Oui». Mais quand cet homme demanda un volontaire, il n'y eu personne pour s'asseoir dans la brouette...

A vaincre sans péril on triomphe sans gloire.
Jules César

Le désir de l'homme a toujours été de se faire Dieu, tandis que celui de Dieu a toujours été de se faire homme.
Albert Camus

Peut-être ne lisez-vous pas la bible parce que vous ne la comprenez pas. Mon ami, vous devriez lire la bible comme vous mangez du poisson. Comment est-ce que je mange du poisson? Quand je tombe sur une arête, est-ce que je prend mon assiette de poisson et la jette? Non, pas du tout. Je saisis l'arête, la met de côté au bord de mon assiette et continue de manger le poisson.
O.J. Smith

Il est impossible de bien gouverner le monde sans Dieu et sans la bible.
George Washington

L'Eglise est pleine de faux ambitieux.
St-Bernard

C'est le premier devoir de chaque homme de faire tout ce qui est en son pouvoir pour faire triompher le christianisme.
Albert Einstein

Commettez le crime et votre image paraîtra sur la première page des journaux. Aimez votre prochain et vous resterez inconnu.
R.W.

A l'âge de 16 ans, Lénine, comme tout adolescent, connût des intérêts nouveaux. Il était moins zélé à l'église qu'auparavant. Son père consulta un prêtre à ce sujet. Le jeune Vladimir Lénine entendit la discussion entre le prêtre et son père qui n'avait qu'un conseil à donner : «Frappez et frappez-le encore». Indigné, Lénine arracha de son cou la croix qu'il avait porté jusque-là. Il en avait fini avec la religion.

Les têtes de la hiérarchie communiste ont prêché la haine. Ils ont finalement été victimes de leur propre enseignement. Lénine fut emprisonné par Staline. Trotsky fut liquidé par Staline qui, lui, fut même retiré de la tombe où il reposait. Patrascanu en Roumanie, Rajk en Hongrie, Kostov en Bulgarie ont répandu la haine, et furent pendus par leurs camarades. L'amour demeure, l'amour vainc.

L'âme humaine est par nature chrétienne.
St-Augustin

Je pense donc je suis.
René Descartes

Le journal «Bakinskii Rabotshii», en date du 20 février 1967, rapporte la condamnation du chrétien Vasilii Romanov pour le seul crime d'avoir parler du Christ à des enfants. La «Pravda Vostoka» du 22 octobre 1966, relate la condamnation, pour le même motif, de Hrapov, Bohn et Hartfeld. La «Pravda Ukraini» du 12 juillet 1966 mentionne la condamnation de Zaitchenko, et d'autres chrétiens. Le journal «Znamia Lunosti» du 29 mars 1967 raconte que Madame Sitsh s'est vu retirer son enfant, Vsetcheslav, parce qu'elle l'instruisait dans la religion chrétienne. La «Pravda» du 21 février 1968 se fait l'écho de la condamnation du chrétien Stasiuk dont le crime est d'avoir imprimé des versets bibliques sur des ceintures et des rubans portés par les femmes soviétiques. La revue «Sovietskaia Rossia» rapporte que dans la ville de Habarovsh, on a retiré à Madama Zabavina, sa petite fille Tania, sous le prétexte qu'elle lui enseignait la religion chrétienne.

Que dirais-tu si dans ton Etat capitaliste on votait une loi autorisant à éloigner les enfants de leurs parents lorsque ceux-ci sont communistes? Approuverais-tu?

R.W.

You think you-re free and lucky, but you're stuck behind a prison wall.

Cat Stevens

You came with nothing, so with nothing you'll return.

Cat Stevens

Vous comprenez qu'on ne peut aller à Dieu n'importe comment.

A.C.

La Bible traduite en plus de 1200 langues et dialectes reste le livre le plus lu et le plus vendu au monde.

A.C.

Vous conviendrez qu'un baptisé peut ne pas être chrétien : vous peut-être, qui l'avez été étant bébé et qui maintenant êtes athée. Catholique? Protestant? Combien le sont de nom et d'étiquette seulement!

A.C.

L'Inde et le Pakistan sont menacés par une invasion communiste.

R.W

Les chefs arabes ont manifesté leur intention de noyer Israël dans la mer. Les Juifs ont déjà connu les chambres à gaz et les hauts fourneaux. Le reste de ce peuple si durement éprouvé ne désire pas être noyé.

R.W.

Comment pouvons-nous idolâtrer un homme (Mao) qui, dans son livre rouge, écrit que la puissance se trouve dans le canon d'un fusil? N'importe quel gangster serait d'accord avec cette déclaration.

R.W.

Pourquoi des millionnaires se suicident-ils parfois par mélancolie? Qu'est-ce qui était mélancolique en eux? Certes, pas le corps, qui était pourvu de tout ce dont il avait besoin. Mais voilà, le millionnaire n'est pas qu'un corps : il a une âme qui peut être terriblement triste, au milieu du luxe et de l'abondance.

R.W.

L'année 1969 a connu trois millions de tentatives de suicides.

R.W.

L'âme existe indépendamment du corps. Alors, pourquoi penser qu'elle meurt parce que le corps meurt? Elle a son propre développement, différent de celui du corps. Puisqu'un homme peut se suicider pour des raisons psychologiques (psychê : âme, en grec), cela signifie que l'âme peut décider de tuer son propre corps, tant elle en est indépendante.

R.W.

Deux savants bien connus s'en allaient en voiture chaque matin vers leur lieu de travail. Sur leur chemin il y avait un champ avec un troupeau de vaches et l'un d'eux chaque matin, baissait sa vitre et saluait les vaches. Un bon matin, son collègue lui demanda pourquoi il saluait toujours ces vaches et il lui répondit : «Parce que la vache mange l'herbe et cet herbe devient du lait, du fromage, de la crème, tandis que la science n'a jamais pu inventer une machine capable de transformer de l'herbe et en faire du lait, du fromage, de la crème. C'est pourquoi je crois qu'il vaut la peine de lever le chapeau devant cette créature».

La valeur de la religion ne saurait être jugée sur un cas isolé. La logique ne permet pas de tirer des conclusions générales d'un cas particulier.

R.W.

Dire la vérité est utile à celui à qui on la dit, mais désavantageux à ceux qui la disent, parce qu'ils se font haïr.

Pascal

Que disent les prophètes de Jésus-Christ?
Qu'il sera évidemment Dieu?

Non, mais qu'il est un Dieu véritablement caché; qu'il sera méconnu; qu'on ne pensera point que ce soit lui; qu'il sera une pierre d'achoppement à laquelle plusieurs se heurteront.
Pascal

Il faut mettre chaque chose à sa place, et Dieu au sommet.
Louis Veillot

Je crois possible qu'un homme regarde vers la terre et soit athée, mais je ne puis concevoir qu'il lève les yeux vers le firmament et soutienne que Dieu n'existe pas.
Abraham Lincoln

La nature est de tous les livres celui qui parle le plus clairement de l'existence de Dieu.
La Rochefoucauld

Va n'importe où dans l'univers, dans les bruits de la nature tu entendras la voix de Dieu. Tu n'auras qu'à écouter avec ton âme.
Auguste Boucher

La boisson ne noie pas les chagrins, elle ne fait que les arroser.

L'accomplissement de nos plus grands désirs est souvent la source de nos plus grandes peines.
Sénèque

L'homme n'a pas en lui toutes les possibilités de créer son bonheur.
Emile Montegrit

Ceux qui n'aiment qu'eux-mêmes devraient plutôt se craindre eux-mêmes.
De Bonald

Le pire mensonge à faire est de se mentir à soi-même.
Mme Du Deffan

Vous pouvez cacher aux autres des péchés, mais pas à vous-mêmes.

Tous les chemins de la vie mènent au cimetière; pas la peine d'aller si vite.

Tôt ou tard, Dieu rend à chacun selon ses oeuvres.
Platon

Les peuples seraient moins malheureux si les laboratoires de guerre se changeaient en laboratoires de paix.

Notre conscience est un juge infaillible quand nous ne l'avons pas encore assassinée.

Personne ne devient un scélérat tout d'un coup; on n'arrive au crime que par degré, de même qu'à la vertu.
Saint Réal

Dis-moi de quoi tu t'occupes, je saurai ce que tu peux devenir.
Goethe

Ce sont les difficultés qui prouvent la valeur d'un homme.
Thiers

Il n'y a pas de personnes qui sont plus vides que celles qui sont pleines d'eux-mêmes.
Barbat De Begnicourt

La vie n'est ni un jour de plaisir, ni un jour de deuil, c'est un jour de travail.
Mme De Genlis

Si tu crois qu'une chose est utile et bonne pour tes semblables, tu te dois de la faire connaître hardiment.
Maurice Brodeur

Celui qui n'est plus esclave de ses passions a trouvé le bonheur que tout le monde cherche.
Louis Veillot

La paresse donne entrée à tous les vices.
Mlle De Lespinasse

C'est en faisant le bien que l'on devient bon.
J.J. Rousseau

La mort est affreuse quand on n'est pas prêt à l'affronter.

Mme De Sévigné

Il y eut en 1977 : 140,000 alcooliques au Québec, soit 5,000 de plus qu'en 1976.

Au cours de la journée de la mort du Christ, 33 prophéties furent accomplies.

PROPHETIES		ACCOMPLISSEMENT	
Psaume	41:10	St-Marc	14:10
Zacharie	13:7	St-Marc	14:50
Zacharie	11:12	St-Matthieu	26:15
Zacharie	11:13	St-Matthieu	27:3-7
Isaïe	50:6	St-Matthieu	27:26,30
Psaume	69:20	St-Matthieu	27:28
Psaume	35:11	St-Marc	14:56
Zacharie	13:7	St-Matthieu	26:31
Psaume	22:19	St-Jean	19:24
Isaïe	52:7	St-Matthieu	27:13-14
Isaïe	52:5-6-10	St-Jean	19:16
Psaume	109:24	St-Matthieu	27:32
Psaume	69:4	St-Jean	19:28
Psaume	69:22	St-Jean	19:29
Psaume	22:18	St-Matthieu	27:36
Psaume	22:17	St-Matthieu	27:35
Zacharie	12:10	St-Luc	23:35
Psaume	22:15	St-Jean	19:34
Psaume	38:12	St-Luc	23:49
Psaume	109:25	St-Matthieu	27:39,40
Psaume	22:9	St-Matthieu	27:43
Isaïe	53:7	St-Jean	1:29
Isaïe	53:5-6-10	St-Luc	23:34
Psaume	22:2	St-Matthieu	27:46
Isaïe	52:14	St-Jean	19:5,14
Psaume	31:6	St-Luc	23:46
Exode	12:46	St-Jean	19:36

Isaïe	53:12	St-Luc	23:33
Daniel	9:26	St-Jean	11:50-52
Isaïe	53:9	St-Matthieu	27:57-60
Amos	8:9	St-Matthieu	27:45

Le Tsar de Russie aimait à se déguiser et à se mêler à ses sujets, afin d'entendre ce qu'ils pouvaient avoir à se dire. Une nuit, il se rendit à la caserne et écouta la conversation des soldats. En passant près d'une tente, il aperçut un jeune officier assis à table, la tête appuyée sur son bras et profondément endormi. Le Tsar s'avança sur la pointe des pieds jusque derrière la chaise et regarda par-dessus l'épaule du soldat. Là, sur la table, devant lui, il vit avec stupeur un révolver chargé. A côté se trouvait une feuille de papier sur laquelle était inscrite une longue liste de dettes contractées aux jeux. Le Tsar nota le total et alla se retourner quand soudain, il remarqua que quelque chose était écrit au-dessous des colonnes de chiffres : «Qui peut payer tout cela?» Il comprit immédiatement la situation. Le jeune officier avait misé sur un coup de dé tout son avoir. Il était profondément dans les dettes et n'avait aucun moyen de faire face à ses obligations. De là sa décision de se brûler la cervelle. Mais après avoir écrit les mots «qui peut payer tout cela», il s'était endormi. Bientôt, il allait se réveiller et alors... Le Tsar eu d'abord l'idée de le dénoncer, puis se souvenant qu'il était ami du père du jeune homme, il changea de décision.
Saisissant la plume qui était tombée de la main du jeune homme et la plongeant dans l'encre, il regarda encore la question qui était devant lui : «Qui peut payer tout cela?» Puis se penchant, il écrivit un mot au-dessous : ALEXANDRE. Silencieusement, il s'en alla.
Peu après, le jeune officier ouvrit les yeux, prit le révolver et l'éleva lentement jusqu'à la tempe. Mais juste avant de presser sur la gachette, il jeta un dernier coup d'oeil sur la liste de ses dettes. Une fois

encore il lut ce qu'il avait écrit : «Qui peut payer tout cela?» Soudain, il se pencha sur le papier où il s'y trouvait le mot : ALEXANDRE.
Stupéfait, il laissa tomber le révolver, il avait reconnu l'écriture. Son Tsar avait passé par là. Le lendemain matin, en effet, un messager arriva avec un sac d'argent de la part du Tsar. Ses dettes furent payées et sa vie épargnée.

Ami, vous aussi, vous accumulez des dettes, des dettes telles que vous n'avez aucun espoir de pouvoir jamais les payer : les dettes du péché. Lorsque vous le réaliserai, vous aussi vous crierez : «Qui peut payer tout cela?» Alors Dieu vous répondra : «JESUS».

O.J. Smith

L'angoisse est une maladie de conscience.

Dr. Maeder

Voltaire, jouant les prophètes, prévoyait que la Bible disparaîtrait à jamais 30 ans après sa mort. Eh bien, 30 ans après sa mort, les premières sociétés bibliques commençaient à la diffuser massivement.

L'ancien secrétaire général des Nations-Unies, Dag Hammarskjod, surnommé l'apôtre de paix, a dit un jour : «Je ne vois aucun espoir de paix pour le monde, si le monde ne passe pas par une nouvelle naissance, il est condamné».
On ne peut pas naître chrétien, mais on le devient par une seconde naissance. J'ai travaillé comme infirmier, et jamais je n'ai vu naître un bébé en criant Alléluia.

Le papillon est un insecte né 2 fois. La première fois chenille, une seconde fois papillon. Les feuilles de salade et de chou qui faisaient tous ses délices ne l'intéressent plus. Une seule chose compte à présent : les fleurs...il a changé d'univers.

A. Choiquier

Che Guevara a dit : «Si ma révolution n'a pas *pour but* de changer l'homme, elle ne m'intéresse pas». L'Evangile fait mieux car la révolution qu'il propose a pour *point de départ* de changer l'homme.

Il est plus facile de désintégrer un atome de plutonium que de changer le coeur de l'homme.
Albert Einstein

L'aveugle dans sa nuit peut être enveloppé de lumière et continuer de chercher un chemin.
Alain Choiquier

Désirer voir Dieu de ses yeux revient à demander à un aveugle de saisir la lumière avec ses doigts.
Alain Choiquier

Comme la lumière est pour l'oeil et l'oeil pour la lumière, de même Dieu est pour la foi et la foi pour Dieu.
Alain Choiquier

Dieu est un être spirituel et ne peut être saisi que par un sens spirituel, celui de la foi.
Alain Choiquier

De quel droit ceux qui ne possèdent pas la foi peuvent-ils affirmer que Dieu n'existe pas? Quelle serait leur réaction si un aveugle de naissance leur disait que la lumière n'existe pas, parce qu'il ne l'a jamais vu?
Alain Choiquier

Frédéric Nietzsche a sonné le glas de Dieu, proclamant avec une certaine assurance : «Dieu est mort, nous l'avons tué». Mais en réalité, chacun sait aujourd'hui que Nietzsche est bien mort, mais Dieu...? et chacun sait également que ce philosophe est mort fou. Il est écrit : «Le fou dit en son coeur : il n'y a point de Dieu».
Psaume 19:1

La bible a été écrite par 40 personnes, elle a été traduite par des centaines, elle est imprimée par des milliers, elle est lue par des millions,
mais...
elle exerce sa puissance seulement sur l'individu qui la crois et la met en pratique.

Vous l'expliquer? Sachez que «le coeur a ses raisons que la raison ne connaît pas». La foi n'explique pas Dieu, elle nous le fait découvrir en faisant tomber nos écailles, elle engage à la fois la raison et le coeur, c'est-à-dire l'être entier.

A.C.

L'intelligence elle aussi joue son rôle. «Comment! direz-vous, est-il raisonnable de penser que Dieu existe?» Oui, dit la Bible, c'est l'insensé qui prétend que Dieu n'existe pas. Renversons ce texte quelques instants. Qu'aurions-nous? l'homme sensé dit : Dieu existe. C'est donc bien faire preuve de bon sens que de croire en Dieu. Quand la raison considère la matière et la vie sous toutes ses formes, elle peut admettre l'existence d'une intelligence supérieure à l'origine de ces choses. Einstein que nous citions plus haut a pu affirmer : «Par mes calculs je me suis prouvé Dieu, par mes calculs je ne puis le connaître».

A.C.

Ce premier pas appelle donc pour beaucoup notre intelligence. Cependant, bien que nécessaire, il demeure insuffisant. En effet, croire que Dieu existe ne nous le fait pas connaître et ne réduit en rien la distance ou l'obstacle qui nous séparent de lui. Vous conviendrez avec moi qu'il y a une sacrée différence entre savoir qu'une personne existe et l'avoir rencontrée. J'ai à l'esprit l'histoire de ce médecin que mon épouse allait voir fréquemment pour nos enfants quand ils étaient en bas âge. Toutes les fois qu'elle revenait de la consultation, elle ne cessait de m'en vanter les mérites professionnels. Moi, ne le connaissant pas, je me l'étais représenté grand et blond. Pourquoi? Je n'en sais rien. Toujours est-il qu'un jour j'eus l'occasion de le rencontrer. Quelle ne fut pas alors ma surprise de le voir tel qu'il était vraiment : petit et brun! Le Dieu qui est le vôtre, vous l'êtes-vous imaginé ou l'avez-vous réellement rencontré?

A.C.

Quant au second pas, il est essentiel. Il permet l'expérience du Dieu qui existe. Très souvent lorsque nous partons en montagne vers des sommets, deux véhicules sont nécessaires. Le premier, la voiture, le train ou la moto, nous mène par des lacets jusqu'à une certaine altitude. Là, plus de route. Il faut alors le second véhicule : le télésiège ou la télécabine jusqu'au sommet. De la même façon il est possible de faire un certain itinéraire vers Dieu avec son intelligence, c'est le premier véhicule. Mais à un certain moment, plus de route! C'est alors qu'ici, beaucoup échappent, s'entêtant à vouloir continuer avec leur cerveau quand il n'y a plus de route.

A.C.

Un aveugle recouvrant la vue continuerait-il d'aller son chemin en tâtonnant avec sa canne blanche comme avant? Vous n'y pensez pas! Pour lui, au contraire, ce sens retrouvé et cette explosion de lumière apporteraient une nouvelle dimension dans son existence. Il en est de même de la foi. Elle offre au coeur qui la reçoit une nouvelle dimension de vie.

A.C.

PARABOLE DE L'OISEAU

Il était là quand je suis entré, l'oiseau. Il s'ébattait dans l'église et avant que mon oeil ne s'acclimate à la pénombre, c'est le bruissement de son vol qui me le fit remarquer. Dans l'église, personne sinon lui et moi, et le Seigneur nous enveloppant de ce silence merveilleux des églises désertes. Une odeur de cierges, un parfum d'encens, une paix illuminée par les vitraux éclatants.

D'où venait-il? je ne sais. Il avait l'allure affolée d'une bête traquée. Evitant les grands luminaires, il contournait les colonnes, s'élançait plein d'espoir vers la lumière, se heurtait aux vitraux dans un bruit sourd, frôlait le sol puis repartait de plus belle vers la lumière, toujours la lumière, pour toujours frapper la vitre trompeuse. Epuisé, il se réfugiait enfin sur une corniche dans un jubé où il reprenait souffle au creux de la rosace. Triste à voir. Ah! l'attrait de la lumière, il s'envolait à nouveau, lumière plus forte que lui. Vraie lumière, source de vie et d'espoir, liberté de l'oiseau; beau vitrail, merveilleux vitraux, vitres décevantes, prison de l'oiseau. Il frappa à la scène de la nativité, s'élança vers «le sermon sur la montagne», puis aux noces de Cana; il parvint même à s'accrocher tout près d'un hostensoir lumineux. Aucune issue possible : il ne comptait que sur sa vue, ses ailes, son agilité, ses propres forces. Aucune fenêtre ouverte, toutes portes closes, il était perdu, il ne voyait que le reflet, le mirage de la liberté.

Enfin, il s'écrasa par terre. Chancelant, tirant de l'aile, il se croyait perdu. Et pourtant cette faiblesse pouvait être son salut : enfin je pouvais faire quelque chose pour lui. Je m'approchai lentement, presqu'à quatre pattes pour ne pas l'effrayer. Je lui disais tout bas de ne pas s'affoler, que je ne lui voulais pas de mal, que mon seul désir était de le prendre doucement, de le réconforter un instant au creux de mes mains, puis, lui ouvrir la porte, le chemin vers la vraie lumière, la vie, la liberté. Sa petite tête à demi tournée, il me regardait d'un oeil, l'autre tourné vers les vitraux; il se redressa, piétina sur place, hésita. Que peut-il se passer dans une cervelle d'oiseau? S'il avait compris!

A coups d'ailes il s'envola lourdement pour s'écraser une fois de plus contre sa liberté illusoire; un instant je crus qu'il allait retomber dans mes bras, mais il parvint jusqu'au grand orgue et se perdit dans la forêt des tuyaux pour ne plus reparaître. Ah! si j'avais été St-François.

Songeur, je m'approchai du tabernacle un peu comme les apôtres s'approchaient du Seigneur pour se faire expliquer les paraboles. Et il me fit comprendre.

«Cet oiseau, c'est toi, attiré par les feux du savoir, du prestige, du plaisir, du confort, de la science, des sens, reflets trompeurs de la vraie lumière, de la vraie sagesse, de la vraie liberté. Seul, tu ne peux y atteindre. Laisse-moi t'approcher, te prendre, te serrer un peu contre moi; ne crains pas de perdre en apparence ta liberté! Moi seul peux t'ouvrir la porte de la vraie Vie».

Pour prouver Jésus-Christ nous avons les prophéties qui sont des preuves solides et palpables. Et ces prophéties étant accomplies et prouvées véritables par l'événement marquent la certitude de ces vérités, et la preuve de la divinité de Jésus-Christ.

Pascal

Freddy Printz
De 19 à 22 ans, il est devenu co-vedette de l'émission : «Chico and the man». Possédant de grandes propriétés en Californie en plus de nombreuses richesses et connaissant une grande popularité, il fut animateur de plusieurs émissions de variétés américaines.
Il se suicida le 29 janvier 1977

Si quelqu'un veut gagner une âme, qu'il tienne une conduite en rapport avec la nature de chacun. Qu'au début il ferme les yeux sur bien des choses, qu'il paraisse ne pas en désaprouver plusieurs autres, afin qu'ayant une fois acquis la bienveillance de ceux qu'il désire amener à Dieu, il les vainque avec leurs propres armes.

Saint Ignace de Loyola

Avec les hommes absorbés tout entiers par les soucis du siècle, ne portons pas tout d'abord le propos sur ce qui a rapport au salut, ce serait leur jeter un hameçon sans appât. Soyons mieux avisés, mettons l'entretien sur ce qui les occupe au moment même où nous les abordons. Parlons de sport, politique, finance, affaires publiques, actualité; puis, nous élevant tout naturellement de ces intérêts inférieurs à des plus nobles objets, parlons-leur de d'autres espèces de guerre, de recherches, d'affaires à administrer, c'est-à-dire la nécessité de gagner la bienheureuse éternité, de combattre et de vaincre leurs passions, d'organiser et de pacifier le royaume intérieur de leur coeur. Entrons chez le prochain par sa porte et faisons qu'il sorte par la nôtre.

Saint Ignace de Loyola

Les fleurs les plus belles et les plus riches en couleurs peuvent donner des fruits hideux et empoisonnés.

Le petit livre blanc des Jeunes.

La plus lamentable des tromperies, c'est de se tromper soi-même.

Le petit livre blanc des jeunes.

En refusant de croire qu'il existe des règles établies par Dieu et qui sont donc valables pour tous les temps, tu finis par te fixer tes propres critères moraux. Cela peut te mener à la catastrophe.

Le petit livre blanc des jeunes.

Les commandements de Dieu sont la loi naturelle inscrite dans le coeur de l'homme. Alors quand l'homme ne veut pas obéir en usant mal de sa liberté, il se détruit lui-même.

Le petit livre blanc des jeunes

Je crois au soleil, même quand il ne luit pas; je crois en l'amour, même quand je ne le sens pas; je crois en Dieu, même s'il ne me parle pas.

Le livre d'or de l'optimiste (Pierre Clément)

Un homme beaucoup trop occupé pour prier est beaucoup plus occupé que Dieu ne l'exige.

Pierre Clément

Dieu n'a jamais voulu donner de nageoires au poisson avant de lui avoir préparé un océan pour nager. Il n'a jamais créé un oiseau avant de lui avoir préparé une atmosphère où voler. Et il n'a jamais créé le désir d'immortalité dans une âme avant d'avoir produit un ciel qui comblât ses désirs.

Pierre Clément

Il ne suffit pas de savoir, il faut aussi appliquer; il ne suffit pas de vouloir, il faut aussi agir.

Pierre Clément

Le ciel ne peut s'atteindre d'un seul bond mais c'est nous-mêmes qui bâtissons l'échelle, et nous arrivons au sommet échelon par échelon.

Pierre Clément

Le grand mal de notre société, c'est qu'elle a perdu le sens du divin.

Père Matéa — Jésus, Roi d'amour

Hélas! on ne connait pas Jésus-Christ, c'est pour cela qu'on ne l'aime pas. On a peur de lui, on garde ses distances avec lui.

Père Matéa

Si l'on méditait profondément l'Evangile, si on lisait davantage l'Evangile, comme on serait vite convaincu du désir qu'a le Maître d'être familier avec nous.

Père Matéa

Les pauvres, les simples, ont souvent une remarquable clairvoyance des choses de Dieu : ils comprennent par intuition et vont parfois jusqu'aux profondeurs d'un mystère qui échappe aux cultivés de ce monde.

Père Matéa

Le grand péché de notre époque, même parmi les chrétiens pratiquants, c'est l'incroyable méconnaissance de Jésus-Christ.

Père Matéa

Une âme qui n'a pas fait de l'Evangile son mets favori, sa nourriture indispensable, manquera toujours de quelque chose de sérieux, de solide, de vraiment lumineux, dans sa formation religieuse et spirituelle.

Père Matéa

Voilà la plus exacte définition de la sainteté : devenir Jésus.

Père Matéa

On peut nier le péché, on n'échappe jamais aux effets du péché.

Mgr Fulton Sheen — Dépassons-nous

L'âme ne trouve la paix qu'en se séparant du mal.

Mgr Fulton Sheen

Plus grandit en nous le désir du monde et des objets

terrestres, moins Dieu a d'attrait pour nous. Nous nous tenons sur la réserve, les poings fermés sur nos quelques sous et perdons ainsi la fortune qu'il nous offre.

Mgr Fulton Sheen

La vraie liberté est de choisir entre 2 valeurs. La liberté peut nous mener à Dieu ou nous éloigner de lui.

Mgr Fulton Sheen

L'enfer est un lieu où il n'y a pas d'amour. Une seule chose commune aux pécheurs en enfer : la haîne qu'ils se portent mutuellement, haine d'autant plus violente que chacun voit en l'autre ce qu'il hait en lui-même.

Mgr Fulton Sheen

L'homme a beau s'en défendre, craindre le bien et haïr la vérité, Dieu s'attend toujours à pénétrer dans son âme.

Mgr Fulton Sheen

Ceux qui rejettent Dieu ressemblent à ces prospecteurs malchanceux qui laissent à d'autres la découverte d'une mine d'or.

Mgr Fulton Sheen

Le malade hésite-t-il à confier ses misères au médecin qui peut le soulager? Comment craindrions-nous de révéler nos misères intérieures à notre Sauveur et Rédempteur!

Mgr Fulton Sheen

La découverte du réel nous exempte de courir après les satisfactions superficielles.

Mgr Fulton Sheen

Comme un sage voyageur évite tous les obstacles du chemin en regardant attentivement devant lui, l'homme doit aussi savoir éviter sur la route du ciel tout ce qui s'oppose à son union à Dieu.

Mgr Fulton Sheen

Personne ne tolérerait des déchets sur sa table, mais

combien admettent qu'on leur en alimente l'esprit!
Mgr Fulton Sheen

Deux personnes peuvent accomplir exactement le même geste; donner l'aumône par exemple; mais l'une le fait pour trouver son nom cité dans le journal, et l'autre parce qu'elle voit le Christ dans la personne du pauvre. L'obole a pu être la même, mais l'intention était très différente.
Mgr Fulton Sheen

La connaissance divine exige plus de cran que de cervelle.
Mgr Fulton Sheen

Pour qu'une masse d'argile puisse se transformer en un vase gracieux, il faut la confier à un potier et il faut qu'elle se laisse passivement pétrir entre ses doigts. Pour qu'une âme humaine devienne un vase à la gloire de Dieu, elle doit haïr ses mauvaises rébellions qui résistent en elle au divin artiste.
Mgr Fulton Sheen

L'homme ressemble à une horloge dont le grand ressort est brisé; rien n'y manque, mais rien ne fonctionne. Pour la remettre en marche, il faut qu'un horloger lui procure du dehors un grand ressort et qu'il l'applique à l'intérieur du mécanisme. L'homme a également besoin, à l'intérieur, d'une nouvelle énergie, d'une énergie que lui communique du dehors son Seigneur et Sauveur.
Mgr Fulton Sheen

Dieu respecte chez l'homme la liberté de sa volonté; il ne nous élève pas non plus à la participation de sa Divine nature sans notre libre consentement.
Mgr Fulton Sheen

Le médecin des âmes peut nous guérir, mais nous devons nous savoir malades et vouloir notre guérison.
Mgr Fulton Sheen

Si la plupart des gens nourrissaient aussi mal leur corps que leur esprit, ils périraient d'inanition.
Mgr Fulton Sheen

Si quelqu'un veut connaître l'étendue de sa malice, qu'il essaie de s'en défaire!

Mgr Fulton Sheen

Le goût de Dieu est une chose qui s'acquiert.

Mgr Fulton Sheen

Vous avez besoin de toutes vos forces, de toute votre intelligence et de toute l'application de votre volonté, pour grandir dans la connaissance de Dieu et pour le manifester.

L'abbé Laurent Gagnon

La foi est une plante délicate et précieuse. Vous pouvez la laisser croître dans les broussailles, sans vous préoccuper de la cultiver, ou vous pouvez la cultiver soigneusement et recueillir des fruits de vie éternelle.

L'abbé Laurent Gagnon

Tous n'ont pas les mêmes talents, tous n'ont pas les mêmes aptitudes, mais tous sont appelés à se développer parfaitement et ainsi à atteindre des sommets de la perfection.

L'Abbé Laurent Gagnon, auteur de l'an 2,000

Celui pour qui vous avez de la haine ne vous dira jamais ses secrets. Au contraire, il cachera habilement, à vos yeux, toutes ses pensées et ses projets. Celui qui est un ami, au contraire, vous dira volontiers ses secrets intimes parce qu'il vous aime et qu'il a confiance en vous. Si vous aimez Dieu qui vous a aimés le premier, il vous révélera la vérité.

L'Abbé Laurent Gagnon

La vie humaine commence par une toute petite cellule invisible à l'oeil. Elle a en elle toute l'énergie nécessaire pour arriver à maturité. La vie divine commence en nous comme une toute petite semence invisible, et elle doit également atteindre la maturité.

L'Abbé Laurent Gagnon

La vie sur la terre est comme un long voyage vers l'éternité. Nous avons juste le temps qu'il faut devant nous. Il nous faut nous engager sur la route la meilleure, la plus directe et la plus courte.

L'Abbé Laurent Gagnon

Celui qui se dit votre ami, mais qui vous trahit ou qui n'a jamais posé un vrai geste d'ami, cesse bientôt d'être considéré comme un ami. Personne d'entre vous ne se laisse prendre longtemps à cette moquerie et à ce semblant d'amitié. On ne se moque pas davantage de Dieu.

L'Abbé Laurent Gagnon

Il ne vous vient pas à l'idée de mélanger les bons et les mauvais poissons pour les vendre ou les manger; il ne vient pas à l'idée de Dieu non plus, de mélanger les bons et les méchants dans la vie éternelle.

L'Abbé Laurent Gagnon

Comme l'avion est guidée par la tour de contrôle, le chrétien est guidé par la foi.

L'Abbé Laurent Gagnon

La nuit est si noire quelquefois dans notre âme absorbée par les préoccupations matérielles, que nous ne distinguons plus le chemin de l'éternité.

L'Abbé Laurent Gagnon

La science la plus haute et la plus utile est la connaissance exacte et le mépris de soi-même. Nous avons communément assez de science, mais nous n'avons pas assez d'union avec Dieu.

Père Louis Colin

L'épreuve est la condition normale de la vie chrétienne, voire de la sainteté.

Père Louis Colin

A le contredire et à lui résister, le coeur de Jésus s'attriste, se ferme, s'éloigne, quand il ne va pas jusqu'à se soulever de dégoût.

Père Louis Colin

L'Evangile s'impose au monde, non pas simplement comme un ensemble de vérités à croire, mais aussi comme un code de moralité à suivre.

Père Louis Colin

Une âme désireuse de plaire à Dieu, peut-elle désirer autre chose que faire sa volonté?

Père Louis Colin

Quand il s'agit d'aimer Dieu, nous sommes toujours en retard et en déficit.

Père Louis Colin

Plus nous aimerons le Christ, plus nous lui ressemblerons.

Père Louis Colin

Comme ceux qui sont amoureux d'un amour humain et naturel ont presque toujours leurs pensées tournées du côté de la chose aimée... ainsi ceux qui aiment Dieu ne peuvent cesser de penser à Lui, respirer pour lui, aspirer à lui et parler de lui.

St-François de Sales

En voyant un petit chien qui, pour un misérable morceau de pain, est si fidèle à son maître, demandez-vous combien plus vous devriez être fidèle à ce Dieu qui vous a créé, vous conserve la vie, étend sur vous sa providence et vous comble de tant de bienfaits.

St-Alphonse

Dieu a deux sanctuaires préférés, dont il a fait sa propre demeure : l'un est le ciel et l'autre, sur la terre, c'est l'âme humble dont il est aimé.

St-Alphonse

La plus grande gloire que nous puissions procurer à Dieu, c'est d'accomplir ses saints vouloirs.

St-Alphonse

Renoncez à vous-mêmes pour être à Dieu; moins vous serez à vous, plus vous serez à Dieu.

St-François d'Assise

Contribuez de tout votre pouvoir à faire connaître et aimer Jésus-Christ.

St-François de Borgia

Aimez la lecture des Evangiles.

St-Georges

Qui a Dieu, rien ne lui manque. Dieu seul suffit.
Sainte Thérèse

On va à Dieu, non pas avec ses pieds, mais avec son coeur; non point en marchant mais en aimant.
St-Augustin

Mettez beaucoup d'ardeur à étudier et à connaître les enseignements de la foi.
St-Lucien

Ne rougissez jamais de Jésus-Christ; affirmez votre foi.
St-Apollinaire

Instruisez-vous sans relâche dans la science du salut.
Ste-Agnès

Souvenez-vous que tout chrétien doit suivre son Maître au Calvaire.
St-Valentin

Ne passez pas un seul jour sans faire quelque lecture chrétienne.
St-Thomas D'Aquin

Sachez vivre de la vie intérieure au milieu des occupations extérieures.
St-Philippe

Ne perdez jamais l'occasion de vous instruire des vérités de la foi.
St-Irénée

Le bonheur n'est point dans la volonté propre, mais dans la volonté de Dieu.
St-Laurent Justinien

Ayez un grand amour et un grand respect pour la sainte Ecriture.
St-Jérôme

Ne croyez pas seulement à l'Evangile, mais conformez votre vie à ses exigences.
St-Dominique

Dieu nous a donné un esprit pour le connaître et un

coeur pour l'aimer.
St-Augustin

Pour avancer rapidement sur la route de la sainteté, compte plus sur la patience que sur l'empressement.
Jos Schrijvers — théologien

Personne ne t'accompagnera au-delà de la tombe. Seules, tes actions bonnes ou mauvaises s'attacheront à toi.
Jos Schrijvers — théologien

Jésus est le problème par excellence. Celui qui le comprend a trouvé la solution de tous les autres.
Jos Schrijvers — théologien

L'artiste qui veut reproduire un tableau le contemple sans cesse jusqu'à ce qu'il l'ait bien fixé dans sa mémoire. Ainsi fait l'âme désireuse de reproduire Jésus dans sa vie. Elle médite, elle lit, elle écoute avec avidité tout ce qui est dit de Jésus dans les saints Evangiles.
Jos Schrijvers — théologien

Tu n'es pas sur la terre pour jouir de Dieu, mais pour l'aimer dans le travail, la souffrance et la lutte.
Jos Schrijvers — théologien

Un fils qui n'aime point ses parents est un être monstrueux. Que dire alors d'un chrétien sans affection pour son Père des cieux?
Père Louis Colin, auteur de «Retraite sur l'amitié de Jésus-Christ»

A aimer Dieu, nous n'avons rien à perdre, mais, tout à gagner. Même quand il semble que nous nous ruinons, en réalité, nous faisons d'excellentes affaires.
Père Louis Colin

Plus nous aurons aimé Dieu ici-bas, et plus nous en jouirons là-haut.
Père Louis Colin

Que dirions-nous, si un de nos amis, prenant le bouquet de fête que nous lui offrons, le jetait, devant nous, à l'égoût? Il y a des affronts qui ne se pardonnent jamais. Que doit penser et sentir Jésus-Christ, en voyant ce que l'on fait de ses dons, c'est-à-dire de son sang?

Père Louis Colin

Abattu par le bûcheron, l'arbre tombe du côté où il penche, et il y reste. Frappé par la mort, tout homme tombera à droite ou à gauche, dans l'amour ou la haine, pour ne jamais se relever. Son sort est à jamais réglé.

Père Louis Colin

Nous ne pourrions pas trouver de plaisir à vivre en compagnie de quelqu'un dont le corps ne serait qu'une plaie purulente; Dieu non plus ne peut s'approcher de nous, si nos âmes sont couvertes de péchés, plus hideux et horribles à ses yeux que le mal le plus répugnant.

Père Louis Colin

Le Seigneur nous a donné l'exemple; que peut-on faire de mieux que de marcher sur ses traces?

Père Louis Colin

Pour un ami du Christ, la mort n'est pas une catastrophe, mais une libération.

Père Louis Colin

Aimer Dieu de tout son pouvoir, voilà le commandement, voilà la fin unique de la vie de l'homme ici-bas, voilà la sainteté.

St-Augustin

C'est en forgeant qu'on devient forgeron, en écrivant qu'on devient écrivain, en jouant du piano qu'on devient pianiste. C'est en s'efforçant d'aimer Dieu de plus en plus, qu'on finit par devenir des véritables serviteurs de Dieu.

Père Louis Colin

Voilà donc ce que produit l'amour de Dieu; un inviolable attachement à sa loi, une application à la garder, un soin de se la tenir toujours présente, de la lier à ses mains, de ne jamais cesser de la lire, de l'avoir toujours devant les yeux.

Bossuet

On commence par des riens, on finit par des crimes.

St-Bernard

Le feu s'alimente par le bois qu'on y met, et l'amour par les actes que l'on fait.

Ste-Thérèse

La perfection consiste à faire la volonté de Dieu et à se livrer entièrement à lui.

Ste-Thérèse de l'Enfant Jésus

Un des malheurs de notre époque, c'est le divorce entre le Christ et Sa croix. L'occident les a séparés, acceptant le Christ mais non la croix, tandis que l'orient prenait la croix et refusait le Christ.

Mgr Fulton Sheen

Plus nous voulons ressembler à Dieu, plus nous devons nous oublier nous-mêmes.

Mgr Fulton Sheen

L'homme ne peut être heureux quand son âme n'est pas satisfaite.

Mgr Fulton Sheen

L'homme qui n'est pas en paix avec lui-même ne sera pas en paix d'avantage avec les autres.

Mgr Fulton Sheen

L'angoisse de l'homme moderne vient de ce qu'il essaye de se réaliser sans Dieu ou qu'il s'efforce de se dépasser sans Dieu.

Mgr Fulton Sheen

Aimer selon la volonté de Dieu, c'est la plus haute expression de l'amour.

Mgr Fulton Sheen

La volonté d'acquérir la fortune fait des riches; la volonté d'être au Christ fait les chrétiens.

Mgr Fulton Sheen

Dire que nous voulons de bonnes choses mais non pas la bonté de Dieu, c'est dire que nous détestons le soleil mais que nous aimons ses rayons, que nous méprisons la lune, mais que nous aimons sa clarté.

Mgr Fulton Sheen

De même qu'il faut de l'eau au poisson et de la lumière à l'oeil, à l'oiseau de l'air et à l'herbe de la terre, de même à l'âme il faut un Dieu infini.

Mgr. Fulton Sheen

Les bons se repentent quand ils viennent à connaître leurs péchés; les mauvais se fâchent quand ils sont découverts.

Mgr Fulton Sheen

Plus on se découvre tel qu'on est réellement, plus on éprouve le besoin de Dieu, et plus Dieu se manifeste à l'âme.

René Descartes

Le Seigneur est beaucoup plus prêt à nous entendre que nous le soupçonnons; c'est notre façon de l'écouter qu'il faut améliorer.

Mgr Fulton Sheen

Ce qui importe ce n'est pas ce que nous sommes ou ce que nous faisons, c'est d'accomplir la volonté de Dieu!

Mgr Fulton Sheen

Dieu a de nous deux images : l'une est ce que nous sommes, et l'autre ce que nous devrions être. Nous sommes loin d'être ce que Dieu veut que nous soyons.

Mgr Fulton Sheen

L'homme ne voit que le visage, mais Dieu lit dans le coeur. Nous pouvons tromper les hommes, mais nous ne pouvons tromper Dieu.

Mgr Fulton Sheen

Une boîte pleine de sel ne peut être remplie de sable; si nos coeurs sont pleins de péchés, comment Dieu pourra-t-il les remplir de Son amour?

Mgr. Fulton Sheen

La souffrance sans relation avec la croix est pareille à un chèque sans signature, elle n'a pas de valeur.

Mgr Fulton Sheen

Il y a en nous trois sortes de miroirs dans lesquels nous pouvons nous considérer. Dans le premier, nous nous voyons comme nous pensons être; dans le second, nous nous voyons comme nous pensons que les autres nous voient; dans le troisième enfin, nous devons nous voir tels que nous sommes devant Dieu.

Mgr Fulton Sheen

Au fur et à mesure que l'humanité se perfectionne, l'homme se dégrade.

Mgr Fulton Sheen

Dieu est présent dans l'univers, à peu près de la même manière qu'un artiste est présent dans son oeuvre.

Mgr Fulton Sheen

Le test de notre foi, ce n'est pas dans les heureux moments de l'existence qu'il se fait, mais dans les épreuves.

Mgr Fulton Sheen

Quand les biens terrestres nous sont enlevés, ceux qui croient en Dieu ne perdent rien.

Mgr Fulton Sheen

Ce n'est pas parce qu'un homme connaît la vérité que sa conduite sera nécessairement bonne. Mais il possède une carte et il sait où il devrait aller.

Mgr Fulton Sheen

Dieu ne se donne pas à l'homme tant que celui-ci n'a pas éprouvé son propre néant. En reconnaissant la pauvreté de nous-mêmes, nous ouvrons les vannes aux richesses divines.

Mgr Fulton Sheen

Les perles viennent du fond des eaux, l'or gît aux profondeurs de la terre, et c'est dans les replis cachés d'un coeur repentant et brisé que l'on trouve les grandes joies de la vie.

Mgr Fulton Sheen

Immense est le vide laissé au coeur de l'homme lorsqu'il rejette le Christ.

Mgr Fulton Sheen

De même que le chagrin accompagne le péché, de même la joie est la compagne de la sainteté

C'est parfois lorsqu'elles se sentent le plus éloignées de Dieu, au bord du désespoir, que les âmes sont le plus proches du Seigneur.

Mgr Fulton Sheen

Il nous faut casser la coquille pour manger la noix, de même, dans la vie spirituelle la croix doit précéder la couronne.

Mgr Fulton Sheen

L'homme pauvre qui se détache de tout, a pris possession de tout.

Mgr Fulton Sheen

De même que les rayons du soleil ne peuvent continuer à briller sans le soleil, nous ne pouvons prospérer sans Dieu.

Mgr Fulton Sheen

Lorsqu'on met Dieu à la porte, on met le bonheur à la porte.

Mgr Fulton Sheen

Marcher comme le Christ, est assurément autre chose que croire en sa parole, mais c'est conformer sa manière de vivre à la sienne, se conduire comme il s'est conduit, l'imiter en tout.

Père Louis Colin

La voie spirituelle des chrétiens peut se définir par trois mots : connaître, aimer, imiter le Christ. Le connaître pour l'aimer, l'aimer pour l'imiter.

Père Louis Colin

De tous les livres et recueils de méditations, le meilleur, l'incomparable, ne serait-ce point, à vrai dire, l'Evangile? L'Evangile, que rien ne remplace et qui tient lieu de tout; nourriture substantielle à laquelle on revient sans cesse, et dont on finit par se contenter, à l'exclusion de tout autre menu. L'Evangile, c'est Jésus-Christ agissant.

Père Louis Colin

Dieu traite les âmes comme il est traité.
Père Louis Colin

Toute vie chrétienne doit s'orienter vers Dieu, rayonner sa gloire, s'emplir de son amour et déborder de zèle.
Père Louis Colin

Dieu est notre Créateur, nous sommes sa chose, nous devons fructifier pour lui, comme l'arbre pour son maître... Nous avons tout de Dieu, l'être, le corps, l'esprit; ayant tout reçu de lui, il est juste que nous lui rendions tout. Ce qui est à Dieu, c'est tout notre être, tous nos instants et tous les battements de notre coeur, car tout vient de lui et n'est que pour lui. Rendons à César ce qui est à César, et à Dieu ce qui est à Dieu.
Père Louis Colin

A qui appartient un tableau, une statue, sinon à l'artiste qui l'a peint ou sculpté? Et notre coeur? A celui qui l'a pétri de ses propres mains. Avant d'être à nous, notre coeur est à Dieu.
Père Louis Colin

Nos coeurs restent agités tant qu'ils ne reposent pas en Toi.
St-Augustin

Notre amour pour Jésus-Christ n'a pas de meilleur fruit que son imitation.
St-Augustin
A l'exemple des jeunes joueurs de hockey pour qui leur amour pour Guy Lafleur n'a pas de meilleur fruit que son imitation.

De grâce, ne vous contentez pas de les regarder, ces adorables paroles. Il faut vous en nourrir, vous les assimiler; la vraie cause de nos maux, c'est l'ignorance de la Parole de Dieu.
St-Jean Chrysostome

Qu'importe d'être bon, sage, puissant, si tu ne persévères pas jusqu'à la fin.
St-Bernard

Le temps est court, il faut amasser des trésors d'amour, il faut sauver le plus d'âmes possible.

Jos Schrijvers — théologien

La vie est une épreuve, mais non pas une des plus pénibles, car elle ne nous empêche pas d'aimer Dieu; et, à qui aime Dieu, toute peine paraît légère.

Père William Faber, auteur de «progrès de l'âme»

L'âme tiède est semblable à un homme qui s'endort dans la neige; il éprouve dans le premier moment une sensation agréable puis il s'engourdit et meurt.

Père William Faber

Que de chrétiens se font leur religion à eux, assez différente de celle de l'évangile!

Père Louis Colin

Sans un véritable désir de nous sanctifier, nous ne ferons jamais aucun progrès dans la perfection.

St-Alphonse

Une volonté déterminée triomphe de tout... Quand une âme est ainsi résolue, le Seigneur la fait voler dans la voie de la perfection.

St-Alphonse

Tout vient de Dieu, tout est à Dieu, tout doit retourner à Dieu.

St-Jean de la Croix

J'entends souvent parler de perfection, mais je vois fort peu de personnes qui la pratique. Chacun en fait à sa mode. Pour moi, je ne sais ni ne connais d'autre perfection que d'aimer Dieu de tout son coeur.

St-François de Sales

L'idéal absolu existe pour chaque coeur humain : c'est Dieu.

Mgr Fulton Sheen

«Ce peuple m'honore des lèvres et son coeur est loin de moi.» Il arrive trop souvent que les hommes louent Dieu avec leurs lèvres, alors que leurs coeurs sont loin de lui. St-Marc ch. 6 v. 7-8

Mgr Fulton Sheen

Si le Christ porte une couronne d'épines, pouvons-nous désirer, nous, une couronne de lauriers?
Mgr Fulton Sheen

Si vous ouvrez une boîte de conserves avec un crayon, vous casserez la mine mais vous n'ouvrirez pas la boîte. Essayer de faire un dieu de son ventre ou un dieu de soi-même, un dieu fait de sa propre volonté, de ses mauvaises habitudes de vivre, cela ne fait qu'abattre l'esprit et n'apporte pas le bonheur.
Mgr Fulton Sheen

Un malade, dans son délire, peut se croire bien portant; ainsi, un pécheur peut, dans son aveuglement, en arriver à se croire bon.
Mgr Fulton Sheen

Puisque notre liberté est la seule chose que nous possédions en propre, elle est la plus parfaite offrande que nous puissions faire à Dieu.
Mgr Fulton Sheen

Notre monde ressemble à un paquebot géant sur la mer; il possède des appareils sanitaires, une cuisine savoureuse, un système électrique perfectionné, des boutiques bien approvisionnées, tout est parfait sauf, qu'il met le cap sur la mauvaise direction.
Mgr Fulton Sheen

Trop souvent, l'homme se fabrique une règle qu'il adapte à sa façon de vivre. Notre Seigneur nous a enseigné à adapter notre vie à la façon dont Lui a vécu.
Mgr Fulton Sheen

Quand un homme commence à chercher Dieu, il découvre bientôt que Dieu le cherche.
Mgr Fulton Sheen

L'homme est libre au point qu'il peut librement déterminer sa condition pour l'éternité.
Mgr Fulton Sheen

La pire chose au monde n'est pas le péché, c'est de nier que nous faisons le mal. Les aveugles qui refusent d'avouer qu'ils sont aveugles ne verront jamais; de même les boiteux qui nient leur infirmité ne marcheront jamais droit.

Mgr Fulton Sheen

Pour avancer dans la voie de la paix, il faut, non pas considérer la bête (le singe) d'où notre corps peut-être a pu sortir, mais Dieu d'où notre âme est certainement venue.

Mgr Fulton Sheen

Dieu ne s'impose pas aux hommes. Il ne les force pas à venir à lui. Il veut qu'ils choisissent librement de venir à lui et de l'aimer. Les preuves abondent pour l'homme qui cherche sincèrement. Mais celui dont le désir n'est pas sincère refusera de les examiner.

Père J.-P. Régimbal

La Bible est de la plus grande importance pour le chrétien qui la considère comme la Parole de Dieu. Il trouve dans ce livre la révélation de l'amour de Dieu pour l'homme et la manière d'approcher ce Dieu.

Père J.-P. Régimbal

La Bible n'est pas un livre qui se contente de fixer des règles à suivre. Elle révèle l'amour de Dieu, sa volonté et sa pensée. Le vrai chrétien aime et désire la lire, car il y trouve Dieu.

Père J.-P. Régimbal

Il est impossible à l'homme de connaître le fond du coeur de Dieu. Il faut donc que Dieu lui-même se dévoile et communique sa pensée, ce qu'il fait par le moyen de Sa Parole.

Père J.-P. Régimbal

L'amour de Dieu se révèle dans le don de lui-même; il ne peut se révéler au travers de nous que par le don de nous-mêmes.

Père J.-P. Régimbal

Nous ne pouvons être des disciples de Jésus-Christ dans ce monde sans nous identifier à lui et prendre position pour lui.

Père J.-P. Régimbal

Beaucoup de ceux qui se disent ou qui s'imaginent

chrétiens peuvent n'avoir du christianisme qu'une expérience incomplète, superficielle, médiocre.

Père Michel Riquet

La parole de Dieu! Elle s'allume en nous comme un fanal, éclairant, avertissant notre conscience.

Père Michel Riquet

Puis-je, devant le rayon du soleil, m'imaginer qu'il ne vient pas du soleil? Qu'on retire au rayon ce qu'il tient du soleil, il ne reste rien. De même, pour moi, si l'on m'enlevais ce que je tiens de Dieu.

St-Ignace de Loyola

Sans doute, il vous est arrivé, quelque soir, d'apercevoir soudain au loin un reflet lumineux. C'était le soleil qui reflétait son éclat sur les vitres d'une maison. Si nous n'avions que ce reflet, pourrions-nous jamais nous faire une idée exacte de la grandeur, de l'éclat et de la magnificence du soleil? Toutes les beautés que nous avons ici-bas, ne sont elles-mêmes qu'un reflet de Dieu.

St-Ignace de Loyola

Notre valeur ne dépend point de la situation que nous occupons sur cette terre, mais de notre situation devant Dieu.

St-Ignace de Loyola

Si nous regardons autour de nous, on dirait que les hommes se croient sur la terre uniquement pour y prendre leurs aises, se donner du bon temps, être de toutes les parties, se faufiler partout, pour voir tout ce qui est intéressant, se faire un nom, s'assurer des honneurs, se mettre en avant, ramener à leur propre personne l'intérêt général. En vain cherchons-nous dans cette façon de comprendre l'existence, un rapport quelconque avec le vrai but de la vie.

St-Ignace de Loyola

Il n'est pour nous qu'un seul et unique devoir, celui de nous soumettre à Dieu. Voilà le devoir capital, le suprême devoir.

St-Ignace de Loyola

Notre premier et indispensable devoir est de glorifier Dieu par notre soumission à sa volonté, et nous sommes sur la terre uniquement pour remplir cette obligation.

St-Ignace de Loyola

A force de se conduire comme si on n'avait pas d'âme, on finit par oublier qu'on en a une.

Père Paul-Emile Roy

C'est seulement en s'accrochant au salut de Dieu que les hommes peuvent résoudre les grands problèmes de leur destin.

Père Paul-Emile Roy

Celui qui nous a fait, peut nous accomplir. Il peut seul répondre aux exigences de notre être. S'Il nous demande de renoncer à nous-mêmes, c'est donc par pure bonté, pour nous empêcher de devenir des esclaves du pire des tyrans, nous-mêmes.

Père Paul-Emile Roy

Qui, à l'audition de la neuvième symphonie, pourrait oublier Beethoven? Comment se fait-il que la découverte de l'univers nous fait oublier son auteur.

Père Paul-Emile Roy

L'ignorance du Christ : voilà qui explique la tiédeur de tant d'âmes.

Père Louis Colin

Le désir est la bouche du coeur; ouvrons-la toute grande, pour que Dieu la remplisse.

Père Louis Colin

Voulez-vous aimer Dieu et le désirer? Apprenez d'abord à le connaître.

Père Louis Colin

Toute la vie humaine se compose de petites actions qui accomplissent de grands devoirs, parmi lesquels, le premier de tous, le devoir d'aimer Dieu.

Père Louis Colin

Que rien ne te trouble, que rien ne t'épouvante : Dieu peut tout, Dieu voit tout, Dieu nous aime!

Ste-Thérèse d'Avila

Lorsqu'on sait s'unir à Dieu et à sa sainte volonté, acceptant tout ce qu'il veut, on est heureux, on est bien, on a tout.

Ste-Thérèse d'Avila

Nous ne pourrons jamais aimer parfaitement le prochain, s'il n'y a en nous un grand amour de Dieu.

Ste-Thérèse d'Avila

Vivre d'amour, c'est donner sans mesure, sans réclamer de salaire ici-bas; lorsqu'on aime, on ne calcule pas.

Ste-Thérèse de Lisieux

J'ai trouvé mon ciel sur la terre, puisque le ciel c'est Dieu et Dieu est en mon âme. Le jour où j'ai compris cela, tout s'est illuminé en moi, et je voudrais dire ce secret à tout le monde.

Ste-Thérèse de Lisieux

Dieu est prêt à nous donner ce trésor de son saint amour, mais il veut que nous le désirions beaucoup.

St-Alphonse

Il ne suffit pas d'avoir le désir de la perfection; il faut encore avoir une ferme résolution de l'acquérir.

St-Alphonse

Il n'est rien de plus utile à méditer que nos fins dernières.

St-Alphonse

Dédaignons ce qui passe et cherchons ce qui doit toujours durer.

St-Bernard

Voulez-vous n'être jamais triste? Vivez saintement. Une bonne vie est toujours gaie.

St-Bernard

La volonté est pour chacun la cause de sa damnation ou de son salut. Voilà pourquoi on ne peut rien offrir de plus précieux à Dieu qu'une bonne volonté.

St-Augustin

Il s'agit de préparer dans ce monde une cité qui n'est pas de ce monde.

St-Augustin

Je n'ai jamais réussi à me persuader que quelqu'un puisse se sauver s'il n'a jamais rien fait pour le salut de ses frères.

St-Jean Chrysostome

L'homme se découvre quand il se mesure avec l'obstacle.

St-Exupéry

La définition du christianisme, c'est l'imitation du Christ.

St-Basile

La tentation est un serpent vénimeux. Si tu ne l'écrases du pied dès qu'il montre la tête, il te mordra.

St-Jérôme

Oubliez-vous tant que vous pourrez, c'est le secret de la paix et du bonheur.

Soeur Elisabeth de la Trinité

Le soleil, envoyant par toute la terre sa lumière et sa chaleur ne s'appauvrit point. Chaque cristal exposé à ses rayons est pénétré et resplendissant de la même lumière que le soleil lui-même. Ainsi toutes les âmes participant à la grâce de Jésus-Christ participent à sa beauté, à sa lumière sans que ce divin Soleil perde quoi que ce soit de son éclat.

Jos Schrijvers — théologien

Le temps est un prêt, dont on rendra un compte rigoureux.

Jos Schrijvers — théologien

Bien insensé l'homme qui a d'autres préoccupations que celles qui regardent son salut.

L'imitation de Jésus-Christ (Thomas A. Kempis)

Voici quelle est la science la plus élevée et la plus utile : se connaître vraiment et se mépriser soi-même.

Thomas A. Kempis

Qui a de plus rudes combats à soutenir que celui qui

s'efforce de se vaincre?

Thomas A. Kempis

Il n'y a de vraie liberté et de joie parfaite que dans la crainte de Dieu, alliée à une bonne conscience.

Thomas A. Kempis

L'homme est aujourd'hui et demain il aura disparu : Oh! stupidité et dureté du coeur humain, de ne songer qu'au présent et de ne pas prévoir plutôt l'avenir!

Thomas A. Kempis

Ayez une bonne conscience et vous serez toujours joyeux.

Thomas A. Kempis

L'homme voit sur le visage, mais Dieu voit dans le coeur.

Thomas A. Kempis

Beaucoup suivent Jésus jusqu'à la fraction du pain, mais peu jusqu'à boire le calice de sa passion.

Thomas A. Kempis

L'homme qui ne cherche pas Jésus-Christ se fait plus de tort que ne peuvent lui en faire le monde entier et tous ses ennemis.

Thomas A. Kempis

Souffrez au moins avec patience, si vous ne pouvez souffrir avec joie.

Thomas A. Kempis

Tu aspires à la paix dans le monde : la fais-tu d'abord régner dans ton coeur?

Jour après jour, s'efforcer de vivre en chrétien, c'est faire grandir en nous le Christ, répondre au plan providentiel et aider les autres.

Chacun de nos péchés a la dimension d'une fourmi, mais la multiplication des fourmis ravage la terre.

Pour construire un monde nouveau, il nous faudrait un peu moins d'architectes et un peu plus de maçons.

Ta vie céleste, c'est ta vie terrestre qui la commence.

Reconnaissons-le humblement; nous sommes parfois loin du vigoureux élan d'amour qu'exige le Christ de ses témoins.

Les philosophes n'ont fait jusqu'ici qu'interpréter le monde; il s'agit maintenant de le transformer.

C'est une rééducation de la conscience qu'il faut opérer. Seuls le christianisme et l'Evangile en sont capables.

La bombe n'est pas dangereuse du tout. C'est un objet. Ce qui est terriblement dangereux, c'est l'homme.

Plus j'étudie les hommes, plus j'aime mon chien.

Il y a quelque chose de pire dans la vie que de n'avoir pas réussi, c'est de n'avoir pas essayé.

Une vie sans croix est une vie sans amour.

Si j'étais rossignol, je ferais le métier de rossignol, si j'étais cygne, celui de cygne. Je suis homme; il me faut chanter Dieu.

Là où Dieu nous a semés, il faut savoir fleurir.

Voilà ce que tu es, nous dira Dieu. Voilà ce que je voulais que tu sois. Compare.

Dites-vous : «si j'étais aux portes de l'éternité, que voudrais-je avoir fait?»

Oh! le terrible compte que certains devront rendre au jour de la révélation des consciences.

La vie qu'est-ce donc?... Un chemin de croix, mais qui conduit au ciel.

La vie n'est pas seulement faite pour être vécue, mais pour être vaincue.

Il faut changer, non seulement d'idées, mais de vie et non pas demain, mais aujourd'hui, et non pas les autres, mais vous.

L'homme n'est vraiment grand et vraiment à sa place que lorsqu'il est à genoux devant Dieu.

Puisque nous avons trouvé le véritable but de notre vie, notre souci constant doit être de faire partager notre bonheur, et d'aider les autres à entrevoir et à atteindre eux aussi le véritable but de la vie.

L'homme est bon dans la mesure où il s'oublie, où il se donne, où il se sacrifie pour le bien de ses frères.

Il serait peut-être temps, si nous voulons faire régner Jésus sur le monde, de le faire régner dans notre coeur.

L'idéal de cette vie, c'est de préparer l'autre.

A quoi servirait-il que Jésus soit né mille fois à Bethléem s'il ne naissait pas une fois dans ton coeur?

Nous ne nous connaissons nous-mêmes que par Jésus-Christ.

Pascal

Il faudrait qu'ils me chantent des chants meilleurs, pour que je puisse croire à leur Sauveur. Il faudrait que ses disciples aient un air plus délivré.

Frédéric Nietzshe

Dieu ne cesse pas d'exister dès que les hommes cessent de croire en Lui.

Graham Greene

L'Evangile n'apporte pas de réponse immédiate aux problèmes sociaux, il les résout en transformant les hommes.

Hamman

La raison pour laquelle nous ne sommes pas heureux comme des saints, c'est que nous n'avons pas envie d'être des saints.

Mgr Fulton Sheen

Toute vie est une responsabilité, et nous sommes coupables, non seulement du mal que nous faisons, mais du bien que nous ne faisons pas.

Mgr Guay

Je ne connais pas d'autre marque de supériorité pour l'homme que la bonté.

François Mauriac

Il faut aller à la vérité avec toute son âme.

Platon

Si le prêtre est l'homme des sacrements il devrait aussi être l'homme de la Parole de Dieu.

St-Jean-Chrysostome

Un seul homme suffit quand il est embrasé de zèle à réformer tout un peuple.

St-Jean-Chrysostome

La Bible fut le livre de chevet de St-Jean-Chrysostome, sa seule nourriture intellectuelle et spirituelle. Il la connaissait par coeur. Il la citait, l'expliquait, la commentait et en recommandait continuellement la lecture.

Votre ennemi lance continuellement contre vous de nouveaux traits. C'est pourquoi, vous avez un besoin continuel de trouver votre force dans la Sainte Ecriture.

St-Jean Chrysostome

C'est l'ignorance des Ecritures qui engendre tous les maux. Les ignorer, c'est marcher à la guerre sans armes, c'est être sans défense.

St-Jean Chrysostome

Je n'échangerais pas les Ecritures Saintes de tout Paris.

St-Thomas d'Aquin

Comment peut-il y avoir différentes doctrines venant de Dieu, s'il n'y a qu'une seule parole de Dieu, un seul Nouveau-Testament, une seule Bible?

Mettez Dieu en premier, les autres en second et vous en dernier.

Te détacher, c'est te rendre libre.

Michel Quoist

La mort n'est valable que pour la résurrection.

Michel Quoist

Après l'humilité, la confiance. Le découragement est notre plus grand ennemi.
Ste-Thérèse de l'Enfant Jésus

Allez vous mettre devant Notre-Seigneur comme une toile d'attente devant un peintre.
Ste-Thérèse de l'Enfant Jésus

Ma conscience est captive dans la Parole de Dieu.
St-Augustin

Le meilleur moyen d'acquérir une parfaite connaissance de nous-mêmes est de nous appliquer à connaître Dieu.
Ste-Thérèse de l'Enfant Jésus

Ce que l'âme est dans le corps, les chrétiens le sont dans le monde. L'âme est répandue dans tous les membres du corps comme les chrétiens dans les cités du monde. L'âme habite dans le corps, et pourtant elle n'est pas du corps, comme les chrétiens habitent dans le monde, mais ne sont pas du monde.
René Girault

Etre esclave de Dieu est la seule vraie liberté possible.

Le pré-requis pour comprendre le Nouveau Testament...la foi. Le pré-requis pour faire grandir la foi...le Nouveau Testament.

Dieu nous donne les noix mais il ne nous les casse pas.

Jésus nous dit : «Vous connaîtrez la vérité, et la vérité vous affranchira». «Vous connaîtrez la vérité» : ce futur marque une obligation, vous devez connaître la vérité si vous voulez être affranchis. C'est Jésus la vérité et il peut et veut vous libérer.

On a découvert que si on jetait une grenouille dans l'eau chaude, elle sautait hors du récipient. Cependant on s'est rendu compte que si on mettait une grenouille dans l'eau tiède et qu'on chauffait graduellement, l'animal ne bondissait pas. Il en est de même avec le péché. Il y eut peut-être un temps où un certain péché vous préoccupait et où votre conscience vous travaillait; c'était l'immoralité, un mensonge, votre première tricherie à l'école. Mais maintenant votre conscience ne vous reproche presque plus rien. Votre coeur s'est endurci, vous n'êtes plus sensible aux choses que vous savez être mauvaises. Et si l'eau venait qu'à trop chauffer, votre salaire en serait la mort éternelle.

Afin d'être efficaces, les mensonges de Satan doivent être complotés d'une manière si rusée que le but réel qu'il cherche à atteindre soit caché sous des artifices.

David Winter

Si vous isolez un charbon ardent, il s'éteindra rapidement, mais si vous mettez ce charbon avec d'autres charbons ardents, il brûlera pendant des heures. Les chrétiens sont faits pour combattre ensemble.

Nous n'avons pas besoin de comprendre la composition chimique d'un remède pour que celui-ci nous fasse du bien. Cela ne nous paraît pas déraisonnable. Pour le traitement d'une maladie, le médecin fait une ordonnance que nous ne pouvons pas lire : que nous ne comprenons pas; et nous payons volontiers une somme d'argent qui peut paraître excessive parce que nous avons confiance que nous irons mieux.

Jésus lui répondit : «En vérité, en vérité, je te le dis, si un homme ne naît d'eau et d'Esprit, il ne peut entrer dans le royaume de Dieu». Il est intéressant de constater que Jésus a fait cette déclaration à Nicodème, chef religieux intègre et dévoué, qui a dû être éberlué par ces paroles. Si le Christ l'avait fait à Zachée qui s'était enrichi sur le dos des contribuables, ou à la femme du puits qui avait eu plusieurs maris, ou au brigand sur la croix, ou à la femme surprise en flagrant délit d'adultère, cela aurait été plus facile à comprendre. Nous savons que ces personnes avaient besoin d'être transformées.

senté dans la Parole de Dieu comme l'état originel de la ressemblance à Dieu: "Dieu créa l'homme à son image, homme et femme Il les créa" (Genèse, chapitre 1, verset 27).

Il y a plusieurs millénaires de cela, aux jours de Lot, dans l'histoire du peuple hébreu, il arriva que le Seigneur fit pleuvoir des cieux du soufre et du feu sur les deux villes Sodome et Gomorrhe, et Il détruisit ces villes parce que les habitants étaient méchants et de grands pécheurs; ils vivaient dans la corruption sexuelle la plus totale: l'homosexualité, le lesbianisme, la fornication (les rapports sexuels en dehors du mariage) avaient envahi toute la société et corrompu tous les habitants. Et voyez ce que Dieu fit d'un tel peuple (Genèse 19; 24 à 28). Ne vous semble-t-il pas qu'un tel état de décadence menace notre société et que les gens reviennent comme dans le temps de Noé? En effet en ces jours-là, on mangeait, on buvait, on se mariait et on donnait en mariage. On vivait dans les plaisirs de la chair, dans l'ignorance de Dieu et dans le péché plus que jamais, sans même s'imaginer qu'un déluge pouvait survenir sur la terre. Pourtant le déluge du temps de Noé est bel et bien historique et confirmé par tous les géologues du monde. On a même retrouvé du sel marin sur le mont Everest. La décadence de notre société va-t-elle descendre aussi bas qu'aux jours de Noé, ou de Sodome et Gomorrhe? Selon les prophéties bibliques nous y sommes déjà parvenus. Quel sera alors le châtiment de Dieu? L'Apocalypse de St-Jean nous met en garde sur les jours de péché et de grand malheur qui s'annoncent pour ceux qui ont refusé la loi de Dieu: "Malheur à la terre et à la mer, car le diable est descendu vers vous, étant en grande fureur sachant qu'il a peu de temps". Oui en effet, malheur à nous si nous rejetons volontairement la loi de Dieu, oui malheur à ceux-là d'entre nous "car Dieu leur envoie une énergie d'erreur pour qu'ils croient au mensonge, afin que tous ceux-là soient jugés qui n'ont pas cru la vérité, mais qui ont pris plaisir à l'injustice" (2ème Epitre de St-Paul aux Thessaloniciens, chapitre 2, versets 11-12). Dieu aveugle ceux qui persévèrent dans le péché et ne veulent pas changer.

St-Paul nous dit dans son épitre aux Romains: "Trouble et angoisse sur tout homme qui fait le mal". Le salaire de l'immoralité est une angoisse profonde et douloureuse. Jésus a dit qu'elle serait un signe des temps: "Il y aura de l'angoisse chez les nations qui ne sauront que faire" (Evangile de St-Luc, chapitre 21, verset 25). L'angoisse est la conséquence du péché.

Une conscience nette, purifiée, lavée, sans tache, voilà ce que Dieu accomplit lorsqu'on le laisse entrer dans notre vie. Lui et Lui seul peut chasser nos angoisses et nous donner la vraie paix intérieure. Ceci est d'ailleurs l'opinion de l'un des plus grands scientistes de notre temps dont notre univers, que l'on appelle l'univers einsteinien, porte le nom. Pour cet homme, Albert Einstein, la solution aux problèmes du genre humain n'est pas la science mais une fois de plus la doctrine de Jésus-Christ. Il nous dit: "L'enseignement du Christ est une doctrine capable de guérir tous les problèmes sociaux et moraux de l'humanité". Pour quiconque croit dans la science, cet opinion a évidemment beaucoup de valeur.

Cette solution, ce remède à nos problèmes moraux et spirituels se trouve donc précisément dans le Nouveau Testament, dans cette nouvelle alliance que Jésus a faite avec les hommes, il y a deux mille ans et qui est venue améliorer et rendre plus parfaite l'ancienne alliance faite par Dieu avec Moïse dans l'Ancien Testament. Ce n'est donc plus dans l'Ancien Testament qu'il faut chercher la volonté de Dieu pour chacune de nos vies, mais dans le Nouveau Testament qui est vraiment la clé spirituelle pour tous nos problèmes.

Bien souvent notre ignorance du Nouveau Testament nous fait commettre des péchés sans même que nous le sachions. La Parole de Dieu, elle, nous guérit de cet aveuglement parce qu'elle ouvre les yeux sur la maladie du péché et nous présente le remède: "Repentez-vous et obéissez à l'Evangile". N'ayons donc pas peur de la vérité et lisons la Parole de Dieu.

P.S. Si vous voulez un Nouveau Testament veuillez nous écrire et faire parvenir $2.00 à:

L'ÉQUIPE DES JEUNES CATHOLIQUES À L'OEUVRE

C.P. 410, Succ. Post. M, Montréal, P.Q. H1V 3M5 / C.P. 3619, St-Roch Québec, P.Q., G1K 6Z7

LES LOIS MORALES DE DIEU ET LE SEXE

Notre monde actuel, supposément parvenu à un degré de civilisation assez élevé condamne pourtant chaque année des millions d'enfants à la mort. Dans l'intimité des cliniques médicales, vingt-cinq millions d'avortements furent exécutés en 1980. Dans les derniers dix ans, nos sociétés ont fermé peu à peu le rideau sur des gestes comme l'avortement et sur la notion de "péché". S'il est vrai que ce mot "péché" est vieux comme le monde, usé aux yeux de certains, il est vrai aussi qu'il est plus actuel que jamais.

A propos du sexe par exemple, le fait que de plus en plus de gens acceptent ouvertement tous les rapports sexuels, l'homosexualité, la masturbation, le concubinage, l'adultère, le lesbianisme, la prostitution, la pornographie, tous condamnés clairement par les lois de Dieu, a provoqué un grave déséquilibre dans la société. Filles mères délaissées, abus sexuels, corruption, angoisse, avortements, divorces, baisse des familles, enfants rejetés, délinquance, éducation familiale déséquilibrée et quoi encore! Voilà autant de conséquences mauvaises d'une fausse morale sexuelle.

Certains psychologues, certains psychiatres, certains dirigeants religieux même nous suggèrent d'accepter et de chercher à comprendre l'homosexualité, le lesbianisme, bien souvent parce qu'ils ont eux-mêmes ces problèmes, alors que la nature, le bon sens et la loi de Dieu nous montrent qu'ils sont "contre nature". Dans l'Ancien Testament, dans la loi donnée par Dieu à Moïse, il est dit: "Si un homme a été trouvé couché avec une femme mariée ils mourront tous deux" et il est dit aussi qu'un homme qui couchait avec un autre homme et une femme avec une autre étaient eux aussi punis de mort (Lévitique chapitre 20 verset 13). Cherchant à justifier leur péché certains affirment que cette loi (Lévitique 20;13) est terminée et que le Christ n'a pas condamné l'homosexualité. Jésus a affirmé qu'aucune lettre de la loi ne passerait et qu'il n'était pas venu abolir la loi mais l'accomplir (Matthieu chapitre 5 versets 17 à 18). Dieu dans sa loi condamne l'homosexualité et l'avortement (Exode 23;26) et le Christ appuie son Père dans ce sens puisqu'il a dit lui-même qu'il n'était pas venu faire sa volonté mais celle de son Père (Jean, chapitre 5, verset 30). Jésus lorsqu'il a dit dans l'Evangile que la simple convoitise d'une femme (Ev. de St-Matthieu chapitre 5, verset 27 et 28) était péché, a porté un jugement bien plus sévère encore que la loi de l'Ancien Testament sur les faux comportements sexuels et à combien plus forte raison l'homosexualité.

De plus les écrits de St-Paul dans le Nouveau Testament nous confirment que la position de Dieu face à l'homosexualité n'a pas changé. Ecoutons ce qu'il nous dit: "leurs femmes ont changé l'usage naturel en celui qui est *contre nature* (lesbianisme) et les hommes aussi pareillement laissant l'usage naturel de la femme se sont embrasés dans leurs convoitises l'un envers l'autre commettant l'infamie, MALE avec MALE (homosexualité) et recevant en eux-mêmes la due récompense de leur "égarement" (Epitre de St-Paul aux Romains, chapitre 1, verset 26-27). "Ne vous y trompez pas: ni fornicateurs, ni adultères, ni efféminés, ni ceux qui abusent d'eux-mêmes avec des hommes n'hériteront du royaume de Dieu" (1ère Epitre de St-Paul aux Corinthiens, chapitre 6, verset 9-10). Certaines personnes affirment qu'on nait homosexuel, ceci est complètement faux. On ne nait pas plus homosexuel qu'on nait prostitué, criminel ou voleur, on le devient suite à des influences, à des expériences et à des choix personnels. Ce n'est pas non plus parce que l'homosexualité est une chose courante de nos jours, qu'elle est nécessairement bonne; en effet les vols, les meurtres, les viols, etc. . ., sont des choses courantes de nos jours et nous les rejettons toutes comme étant mauvaises.

Cette soi-disant libération sexuelle n'est que vent et mensonge et ne peut produire que malheur, déséquilibre et angoisse. Tel que St-Paul nous le dit dans ses épitres: "Dieu ne nous a pas appelés à l'impureté mais à la sainteté" (1ère Epitre aux Thessaloniciens, chapitre 4, verset 7) et lorsque l'on voit l'impureté de nos sociétés on comprend facilement les problèmes qu'elles peuvent vivre. Si Dieu depuis des millénaires a défini la sexualité normale comme étant la relation homme-femme au sein du couple et à l'intérieur du mariage, c'est évidemment parce qu'Il savait ce qu'Il faisait et les constatations médicales et psychologiques actuelles sur les relations sexuelles autres que celle du couple marié ne font que renforcer la logique et la vérité de la loi de Dieu sur le sexe. Le couple est pré-

Mais Jésus a donné cet ordre à un des grands chefs religieux de son époque.

Les psychiâtres se rendent compte qu'il y a une force curative dans la confession. Détendez-vous et parlez-moi de tout ce qui vous concerne, disent-ils à leurs patients.

Un enfant peut naître dans une famille riche, avoir de bons parents, des frères et des soeurs, des maisons et des terres; mais au moment de sa naissance, l'important n'est pas de l'informer de toutes ces choses magnifiques. Il y a d'autres choses de plus essentiel qu'il faut faire d'abord. Il doit être nourri parce qu'il a faim et qu'il a besoin de croître. Il doit être protégé parce qu'il est né dans un monde plein d'ennemis. Dans la salle d'accouchement, il est porté avec des gants stérilisés et gardé éloigné de tout contact extérieur. Au moment où vous recevez le Christ, vous êtes semblables à un bébé spirituel. «Désirez comme des enfants nouveaux-nés le lait spirituel et pur». (I ère Epitre de St-Pierre, chapitre 2, verset 2)

Aussi en est-il de même de Dieu pour l'homme. Puisque c'est lui qui nous a créé il connait mieux que personne le mécanisme de la machine que nous sommes et ce que nous avons à faire pour fonctionner à merveille.

L'oxygène est aux poumons ce qu'est l'espérance au sens de la vie humaine.

Emile Brunner

Vous me dites qu'il n'y a pas de poussière dans cette chambre? Laissez-y pénétrer le soleil. Pas de poussière? Des millions et des millions de petits points partout.

O.J. Smith

Etes-vous marié? Avez-vous des enfants? Avez-vous dîné? Vous ne me répondez pas : je le pense et j'espère que vous me répondrez définitivement soit par «oui» ou par «non». Pourtant quand il s'agit du

salut vous hésitez.
O.J. Smith

Supposez que vous accumulez des dettes chez l'épicier, et qu'un jour vous vous mettiez à payer comptant, cela effacerait-il votre dette? Certainement pas. La dette demeure jusqu'à ce qu'elle soit payée. Mettez-vous à observer les commandements de Dieu si vous le pouvez, mais que ferez-vous de ceux que vous avez brisés auparavant? Le Christ, si vous lui donnez votre vie règlera en entier votre dette passée et vous donnera cette chance de commencer une vie nouvelle.

Oublier le diable sous prétexte que personne n'y croit serait trahir le St-Evangile.
Cardinal Léger

La Parole de Dieu est une nourriture plus essentielle que tous les biens de consommation qu'offrent nos super-marchés.
Cardinal Léger

Le rouge-gorge dit au moineau : «j'aimerais vraiment savoir pourquoi ils courent en tous sens et se font tant de soucis». Le moineau lui répondit : «Ami, je pense que c'est parce qu'ils n'ont pas comme nous de Père céleste qui prenne soin d'eux».
B.J.

Le cri de l'humanité envers Dieu, c'est le même cri qu'il y a deux mille ans : «Nous ne voulons pas qu'il règne sur nous, qu'Il soit crucifié»

Que notre action soit contraire à ce que veut faire notre nature.

C'est en donnant qu'on reçoit.
St-François D'Assise

La seule chose nécessaire pour que le mal triomphe, c'est que les bons ne fassent rien.
Père Henri Roy

La prudence est partout et bientôt le courage ne sera

plus nulle part. Nous périrons de sagesse vous verrez.

Cardinal Sueners

Davantage!

St-Vincent de Paul, à sa mort

Dans l'évangélisation et l'apostolat auprès des âmes, n'oublions jamais que c'est la grâce de Dieu qui convertit. La pêche miraculeuse est le symbole de l'apostolat. Jésus dit à Pierre : «Avance en pleine mer et vous jetterez vos filets pour pêcher». Pierre lui répondit : «Maître nous avons travaillé toute la nuit sans rien prendre, mais sur votre Parole je jetterai le filet». Et lorsqu'ils l'eurent fait, ils prirent une si grande quantité de poissons que leurs filets rompaient. (St-Luc 5 : 4 à 7). Si le Seigneur ne bâtit pas la maison, c'est en vain qu'ont travaillé ceux qui la bâtissent. (Psaume 126)

Dans un désert, une gourde d'eau vaut mieux qu'un char de billets de banque.

Pouvoir dire la Vérité et se taire, c'est mériter la colère de Dieu.

St-Justin

Nous, prêtres, devons être des victimes, des immolés de tous les instants.

Père Henri Roy

Les jeunes sont comme une rangée de magnifiques voitures neuves au fini parfait, mais dont le réservoir est vide.

B.J.

Comment avec votre raison limitée, pouvez-vous concevoir un objet aussi grand que l'Amour infini de Dieu, pendant que nous ne pouvons pas même expliquer comment une vache noire, mangeant de l'herbe verte, donne du lait blanc.

B.J.

«Vous êtes le sel de la terre». Le sel donne soif. Votre vie donne-t-elle aux autres la soif de l'eau de la vie?

B.J.

Chassez une souris avec un balai, elle ne regarde pas votre balai, elle cherche un trou. Vous de même, éloignez vos regards de la tentation et regardez le Christ.

B.J.

Soyez un chrétien équilibré. On a dit, avec raison, que certains chrétiens sont tellement spirituels qu'ils ne sont bons à rien sur la terre.

B.J.

Celui qui croit est donc bien au-dessus de celui qui résonne, et la simplicité du coeur bien préférable à la science, qui nourrit l'orgueil. C'est le désir de savoir, qui perdit le premier homme : il cherchait la science, il trouva la mort.

Imitation de Jésus-Christ

Si vous pensiez plus souvent à la mort qu'à la longueur de la vie, nul doute que vous auriez plus d'ardeur pour vous corriger.

Imitation de Jésus-Christ

Plus l'homme veut avancer dans les voies spirituelles, plus la vie présente lui devient amère. Parce qu'il sent mieux et voit plus clairement l'infirmité de la nature humaine et sa corruption.

Imitation de Jésus-Christ

Pourquoi remettez-vous toujours au lendemain l'accomplissement de vos résolutions? Levez-vous, commencez à l'instant et dites : «Voici le temps d'agir, voici le temps de combattre, voici le temps de me corriger».

Imitation de Jésus-Christ

Si vous n'avez maintenant aucun souci de vous-même, qui s'inquiètera de vous dans l'avenir?

Imitation de Jésus-Christ

Approchez de cette fosse, regardez ces ossements blanchis et disjoints : voilà tout ce qui reste ici-bas d'un homme que vous avez peut-être connu et qui ne pensait pas plus à la mort, il y a peu d'années, que

vous n'y pensez pas aujourd'hui.
Imitation de Jésus-Christ

Vous n'êtes pas plus saint parce qu'on vous loue, ni plus imparfait parce qu'on vous blâme. Vous êtes ce que vous êtes; et tout ce qu'on pourra dire de vous ne vous fera pas plus grand que vous ne l'êtes aux yeux de Dieu.
Imitation de Jésus-Christ

J'ai coutume de visiter mes élus de deux manières : par la tentation et par la consolation. Et tous les jours je leur donne deux leçons, l'une en les reprenant de leurs défauts, l'autre en les exhortant à avancer dans la vertu.
Imitation de Jésus-Christ

Au milieu de ce grand naufrage du monde, une main propice nous jette d'en haut le câble de l'espérance, qui peu à peu retire jusqu'au ciel ceux qui s'y attachent fortement.
St-Jean Chrysostome

L'humilité vraie, c'est enfin la connaissance de notre état de pécheur.
L'abbé F. Genevois

Il n'y a pas de demi-mesure pour les apôtres et les prêtres : ou bien ils seront des saints vivant dans l'union, l'intimité de Dieu, en communauté de pensée, de volonté, de coeur avec le Seigneur, ils seront les apôtres qu'Il veut et qu'Il désire; ou bien ils seront médiocres, sans aucune vie intérieure, sans action profonde sur les âmes, exposés aux pires dangers et très malheureux.
L'abbé F. Genevois

Le moine Zozima exhortait les chrétiens à être aussi rusés que les serpents et aussi purs que les colombes et, si on les interrogeait, à ne pas dire d'où ils venaient, mais à inventer une histoire.

Si tu nourris ta charité de la Parole de Dieu et de l'espérance de la vie future, tu parviendras à la perfection de la charité, c'est-à-dire que tu seras prêt

à donner ta vie pour tes frères.
St-Augustin

Ce qui distingue les actes des hommes c'est la charité qui est à la racine. Bien des choses peuvent avoir l'apparence du bien qui ne procèdent pas à la racine de la charité. Les épines aussi ont des fleurs.
St-Augustin

Mieux vaut les coups de la charité que l'aumône de l'orgueil.
St-Augustin

Si nous vous expliquons les Ecritures, ce n'est pas seulement pour que vous compreniez les Ecritures, c'est encore afin que vous redressiez votre conduite.
St-Jean Chrysostome

Pour former et édifier les âmes, le prêtre doit allier la sainteté de vie à la compétence doctrinale.
St-Jean Chrysostome

La folie d'un homme brise-t-elle sa destinée qu'il s'en prend rageusement au Seigneur.
Proverbe 19 :3

«Le travail reflète l'ouvrier».
Tour de garde Oct. 78

Tout catholicisme est suspect, s'il ne dérange pas la vie de celui qui le pratique.
Julien Green

Ecoutez donc ces gens du monde : «Procurez-vous ces livres qui contiennent les remèdes de l'âme». Si vous n'en voulez pas beaucoup, procurez-vous au moins le Nouveau Testament.
St-Jean Chrysostome

Pour rayonner l'harmonie autour de toi, fais l'harmonie en toi.
Michel Quoist

L'avoir n'ajoute rien à ta personne. L'avoir te fait «paraître», mais non pas «être».
Michel Quoist

La barque n'est pas libre de voguer si un seul filin la retient encore à la berge.

Michel Quoist

Si l'homme est souvent malheureux intérieurement, s'il échoue dans sa vie, c'est qu'il veut la vivre à sa manière, suivant le mode humain et en comptant sur ses propres forces. Dès qu'il démissionne entre les mains de Dieu, Dieu pour lui se met à l'ouvrage : la réussite (pas forcément la réussite humaine) est certaine et totale.

Michel Quoist

La plupart des hommes se croient libres lorsqu'ils peuvent dire : «Je fais ce que je veux». Cette liberté est celle de l'animal sauvage, mais non pas celle du fils de Dieu.

Michel Quoist

Si tu veux vivre en fils de Dieu, il faut voir ta vie comme Dieu la voit, la juger comme Il la juge, et t'engager comme Il le désire; mais il te faut alors pour y parvenir une autre lumière que la lumière naturelle de ton esprit, il te faut«reviser ta vie» à la lumière de la foi.

Michel Quoist

Tu ne pourras jamais faire gagner ton équipe, si tu gardes le ballon pour toi. Tu ne pourras jamais récolter, si tu n'abandonnes pas le grain à la terre. Tu ne pourras jamais faire naître la vie, si tu ne donnes la tienne.

Michel Quoist

Quand ta voiture est mise en route, abandonnes-tu le volant et les pédales sous prétexte que, maintenant elle roule?

Michel Quoist

Si l'eau d'un robinet empoisonne plusieurs personnes, tu soignes les malades, mais tu fais aussi des démarches pour que l'eau soit désinfectée.
La souffrance des hommes a des causes multiples, tu dois soulager tes frères, mais aussi t'attaquer aux

causes de leurs maux.
Michel Quoist

Pour servir, la table doit être sur ses pieds, la bicyclette sur ses roues, le toit sur la maison. Respecte en toi la hiérarchie de ton être : la chair soumise à l'esprit.
Michel Quoist

Dieu ne pouvait-il pas empêcher l'homme de pécher? Oui, en lui enlevant la liberté. Aime-t-il son élève le professeur qui lui donne la solution du problème pour lui éviter des erreurs? Aime-t-elle son bébé la mère qui refuse de lui apprendre à marcher de peur qu'il ne tombe?
Dieu aimerait-il l'homme s'il lui enlevait la possibilité de choisir, de vivre, d'aimer librement?
Michel Quoist

Si, sous tes yeux, un homme se noie, ne perds pas ton temps à dire : «C'est sa faute, il aurait dû savoir nager». Tire-le de l'eau et apprends-lui à nager. Et s'il ne veut pas apprendre, tu n'es pas encore quitte, il faut le persuader et l'aider à vouloir.
Michel Quoist

Laisserais-tu sans la lire la lettre de ton fiancé exposée sur le buffet? Pourquoi laisses-tu sans l'ouvrir ton Evangile dans l'armoire?
Michel Quoist

L'intelligence te fait faire un bout de route vers la foi, mais elle ne peut te donner la foi.
Michel Quoist

Consciemment ou non tu as faim d'Evangile.
Michel Quoist

Le sportif s'entraîne. L'ouvrier apprend son métier. L'artiste fait de nombreux «exercices» avant de produire un chef-d'Oeuvre. Pourquoi n'en ferais-tu pas autant pour vivre une authentique vie chrétienne?
Michel Quoist

Il n'y a pas de liberté, ni de vrai bonheur, sans lois. Si

les lois de la route étaient supprimées, laissant à chacun de rouler à sa guise, à droite, à gauche, oseriez-vous encore sortir en voiture? Ainsi le code de la route, tout imparfait qu'il soit, est pour notre sécurité et notre bonheur. La vie elle-même est sujette à des lois. Que ces lois viennent à cesser, ce serait une catastrophe. Sur le plan moral, notre siècle vit déjà en catastrophe pour être passé à côté du code de vie que Dieu a donné.

A.C.

Aux Indes et en Ethiopie, les gens meurent de faim et aux Etats-Unis les gens prennent des diètes, parce qu'ils sont trop gras. Dans quelle sorte de monde vivons-nous?

Albert Einstein

Dieu se manifeste à l'homme de quatre différentes façons qui sont évidentes. Premièrement, sa création nous prouve sa puissance, l'homme n'a pas le pouvoir de créer même une mouche et l'homme se dit Dieu : mensonge arrogant! Deuxièmement, Dieu se manifeste dans la conscience de l'homme. Troisièmement, Dieu parle à l'homme en se révélant par les Ecritures Saintes, appelées : la Bible. Quatrièmement, Dieu se manifeste par un don qu'on appelle le Saint-Esprit.

La conscience de l'homme est comme une cloche. Si on la laisse sonner trop longtemps, la cloche ne fonctionne plus. Combien de fois essayons-nous d'éteindre notre conscience qui nous reprend?

A.C.

Un enfant est né pur, mais plus il grandit dans ce monde-ci, plus il devient pécheur. C'est pour cela que lorsque nous avons l'âge de raison, il faut se repentir, faire volte-face et redevenir comme un petit enfant.

A.C.

En Afrique centrale, les missionnaires éprouvent de grandes difficultés à traduire cette parole d'Isaïe : «Même si leurs péchés sont aussi rouge que l'écarlate, ils deviendront blancs comme la neige», il n'y a pas de terme là-bas pour la désigner. Et l'on a dû traduire : «Vos péchés deviendront aussi blancs que le coeur de la noix de coco».

R.W.

Mais j'en ai tiré une leçon : puisqu'ils ne laissaient aucune place à Jésus dans leur coeur, je résolus de ne pas laisser dans le mien la moindre petite place à Satan.

R.W.

Le langage de l'amoureux est le même que celui du séducteur. Celui qui désire une fille pour la vie et celui qui la veut seulement pour une nuit et la rejettera le lendemain disent tous les deux : «je t'aime».

R.W.

Une fleur, si vous l'écrasez sous vos pieds, se venge en vous donnant son parfum.
Ainsi nos martyrs, en échange des tortures, donnent de l'amour.

R.W.

Devant le tribunal : «Je suis sûr, monsieur le Juge, que vous n'êtes pas aussi savant que Simpson, l'inventeur du chloroforme et de beaucoup d'autres remèdes. Quelqu'un lui demanda un jour ce qu'il considérait comme sa plus grande découverte. Simpson répondit : «Ce n'est pas le chloroforme. Ma trouvaille la plus importante, c'est d'avoir découvert que je suis pécheur et que la grâce de Dieu peut me sauver».

R.W.

J'étais comme cet homme dont parle un vieux conte chinois : épuisé de fatigue, il cheminait péniblement au soleil lorsqu'il vit un grand chêne à l'ombre duquel il s'arrêta pour se reposer. «Quelle chance de t'avoir trouvé»! dit-il. Mais le chêne répondit : «Ce n'est pas une chance. Il y a quatre cents ans que je t'attends». Le Christ m'avait attendu toute ma vie. A présent, nous nous étions rencontrés.

Mais, en définitive, ce sont les crimes et les erreurs de l'Eglise qui nous donnent tant de raison de l'admirer. Un hôpital peut empester le pus et le sang; c'est là que réside sa beauté, car il reçoit le malade avec ses plaies dégoûtantes et ses horribles maladies. L'Eglise est l'hôpital du Christ. Des milliers de patients y sont soignés avec amour. L'Eglise accepte les pécheurs, ils continuent de pécher, et l'Eglise est blâmée à cause de leurs péchés. D'autre part, pour moi, l'Eglise est comme une mère qui défend ses enfants même quand ils ont commis des crimes. La politique et les préjugés des serviteurs de l'Eglise sont des déformations de ce qui vient de Dieu, c'est-à-dire la Bible et ses enseignements, le culte et les sacrements. Quelles que soient ses fautes, l'Eglise est, à bien des égards, remarquable. Des milliers de gens se noient tous les ans, mais personne ne conteste la beauté de la mer.

R.W.

Nous avons tendance à confondre le désagréable avec le mauvais.
Pourquoi le loup est-il mauvais? Parce qu'il mange le mouton et que cela me dérange. Je désire manger le mouton moi-même! Et alors que le loup doit manger le mouton pour vivre, moi je peux manger autre chose. Mieux encore, le loup n'a pas de devoir envers le mouton, tandis que nous l'élevons sa vie durant, lui donnons à manger et à boire, et quand il a mis toute sa confiance en nous, nous lui coupons le cou. Personne ne pense que nous sommes mauvais.

R.W.

Les premiers chrétiens parlaient d'un homme qui, arrivant en enfer fut surpris de trouver un banquet servi. Il reconnut des personnages célèbres autour de la table. «Etes-vous toujours en fête comme ça?» questionna-t-il. «Certainement, nous pouvons commander tout ce que nous voulons!» «Alors en quoi consiste votre châtiment?» «C'est que nous ne pouvons jamais porter la main qui tient la nourriture à notre bouche». Le nouveau venu vit une solution. «Mais chacun de vous ne peut-il nourrir son voisin?»

«Quoi?», cria l'autre, l'aider lui? je préfère mourir de faim!»

R.W.

Dieu est assis sur un trône. Il y a un grand rideau derrière lui et nous arrivons devant lui, un par un. Dieu fait alors un signe de la main droite et de derrière le rideau sortent des êtres plus beaux les uns que les autres, si éblouissants que nous sommes incapables de les fixer. Chacun d'eux se met devant l'un de ceux qui doivent être jugés, et ceux-ci demandent : «Qui est-ce?» Dieu répond : «Toi, tel que tu aurais dû être si tu m'avais obéi». C'est alors que commence l'enfer éternel du remords.

R.W.

Le mal doit être appelé par son nom. Jésus dit aux pharisiens qu'ils étaient des «vipères», et c'est pour cela et non pour le sermon sur la montagne qu'il fut crucifié.

R.W.

Celui qui a la foi dit : «Je vis pour aider Dieu».

Personne n'est né sous une mauvaise étoile. Il n'y a que des gens qui regardent mal le ciel.

Dalai Lama

Le monde est malade.

Le Pape Paul VI dans son encyclique du 28 mars 1967

Nous ne connaissons Dieu qu'à travers Jésus-Christ. Sans ce médiateur, toute communion avec Dieu devient impossible.

St-Jérôme

Le mot repentance est utilisé plus de soixante-dix fois dans le Nouveau-Testament.

B.J.

L'ignorance de la Bible est l'ignorance de Jésus-Christ.

Saint-Jérôme

Que de Judas parmi les chrétiens!
Bossuet

Un vice coûte plus cher à nourrir que deux enfants.

Dieu n'appelle pas ses enfants à vivre dans un parc d'attraction, mais sur un champ de bataille.
B.J.

Comment savoir si le diable existe vraiment? Résistez-lui un jour et vous le saurez.
Hudson Taylor — missionnaire prisonnier de la Chine

Heureux dès à présent les morts qui meurent dans le Seigneur.
Apocalypse de St-Jean, Chap. 14, verset 13

J'aime mieux travailler avec Dieu que de prendre des vacances avec le Diable.

Une vache qui mange de l'herbe et qui lèche du sel...une heure avant la boucherie, ainsi est l'homme qui se vante de ne pas avoir peur de la mort, mais qui n'en est pas prêt pour autant.

J'aime mieux aller au ciel tout seul que d'aller chez le diable en famille.

Garde-toi donc de faire ta propre volonté, surtout si elle est opposée à celle de Dieu.
St-Bernard

On raconte l'histoire d'une petite fille à qui son père demande : «Que fais-tu lorsque le diable cogne à la porte de ton coeur avec une tentation?... Je laisse Jésus aller répondre» dit la petite fille.
B.J.

Le but de Satan n'est pas tellement de nous faire pécher, mais de nous éloigner de la vérité. (le Nouveau-Testament)

Ce livre (Nouveau-Testament) vous gardera du péché, ou le péché vous gardera de ce livre.
John Bunyan

Avant de nous communiquer sa gloire, Jésus nous communique d'abord ses souffrances.

Avant d'être couronné de gloire, Jésus a d'abord été couronné d'épines.

Où il y a de l'homme, il y a aussi de l'hommerie

Père J.-P. Régimbal

Le mot Evangile, apparaît plus de cent fois dans le Nouveau-Testament.

B.J.

Le mot «converti» ou «conversion», revient 14 fois dans le Nouveau-Testament.

Le mot «foi» est mentionné plus de 200 fois dans le Nouveau-Testament.

Dans le monde dans lequel nous vivons, il est impossible d'aimer sans souffrir.

Yvon Hubert

On ne peut pas témoigner de la foi qu'on n'a pas.

Pour obtenir le meilleur il faut savoir abandonner le bon. (Le royaume des cieux est semblable à un collectionneur de perle)

Dans une maison, ce n'est que lorsqu'il y a une tempête qu'on se rend compte des points à consolider.

Un jour un homme mourut et passa devant le tribunal de Dieu. L'homme dit à Dieu : «Tu sais bien Seigneur, toi qui sonde les coeurs et les pensées de l'homme, que jamais je n'ai fait de mal et que j'ai fait ce que je pensais être le mieux dans ma vie et que j'ai les mains blanches... Alors Dieu répondit : «Tes mains sont peut-être blanches, mais elles sont vides».

Une religieuse

Il ne faut pas oublier que les dix commandemnts ne sont pas des conseils ou des suggestions, mais des commandements.

R.H.

Au cours de la seconde guerre mondiale, quelques soldats discutaient entre eux pour savoir si Dieu étaient avec eux. Au bout de quelques minutes l'un d'entre eux qui suivait la discussion de loin les interrompit pour leur dire; «L'important ce n'est pas que Dieu soit avec nous, mais que nous soyons avec Dieu...

Quiconque pèche contre Dieu doit subir le poids de ses actes. Ainsi en est-il d'un homme au coeur malade auquel le médecin prescrit de ne plus jamais se battre, car cet homme était très violent et ne s'efforçait guère pour éviter les querelles. Mais celui-ci, entendant la prescription du médecin, fut très irrité et se lança vers lui pour lui donner un coup de poing, mal lui en pris car il fut atteint aussitôt d'une violente attaque de coeur et mourut...«Tous ceux qui me haïssent, aiment la mort»

Proverbe 8.36

Ne te demande pas ce que l'Etat peut faire pour toi, mais demande-toi ce que tu peux faire, toi, pour l'état.

J.F. Kennedy

La tradition juive nous dit que dans les derniers temps de sa vie, St-Jean, qui était alors très vieux était devenu incapable de prêcher. Quelques personnes le portaient et l'emmenaient au temple chaque matin. Jean répétait toujours la même chose, et cela piquait la curiosité des gens. Quelques-uns d'entre eux lui demandèrent ce qu'il disait, il leur dit : «Aimez-vous les uns les autres mes petits enfants» et pourquoi dis-tu toujours cela?
— Quand nous serons arrivés à cela, ce sera suffisant...

L'or est purifié par le feu, et l'homme de Dieu, par l'humiliation.

Mais celui qui pêche contre Moi, nuit à son âme...

Proverbe 8:36a

Un chrétien se doit d'être un autre Christ.

Un jour, il y avait un homme qui était commis-

voyageur et il avait à se rendre à une certaine ville. Arrivé à un croisé de chemin, il vit qu'il pouvait s'y rendre par deux routes différentes. L'une était une route de terre de second ordre, tandis que l'autre était une très belle route entièrement neuve. Un écriteau était là qui disait qu'un pont était quelque part sur cette route et que ce pont était endommagé très sérieusement. Mais ce stupide commis-voyageur fut séduit par la beauté de cette route et s'y engageât... nous ne revîmes jamais ce commis-voyageur. Il y avait même des écriteaux qui l'avertissaient tout au long de cette route et qui lui disaient de changer de chemin.
Conclusion : Vous et moi ne voulons pas ressembler à ce commis voyageur n'est-ce pas?

La porte du royaume des cieux c'est le pardon, et la repentance en est la clef.
B.J.

Mon Dieu je t'aime; pour toi, je veux faire tout ce qui fait mon affaire.

Si on vous accusait d'être chrétien, y aurait-il assez de preuves pour vous condamner?

Les U.S.A. ont prouvé scientifiquement que la terre, si elle était bien dirigée et gouvernée, serait capable de loger et nourrir plus de 157 milliards de personnes, avec un mille carré de terrain pour chaque individu.

Scientifiquement la mort est une «maladie», car il est prouvé que les cellules du corps humain sont faites de telle manière qu'elles sont en mesure de se regénérer elles-mêmes.

Certaines gens nous disent : «Je ne crois pas en Dieu car je ne l'ai jamais vu». A ces personnes je leur dit : «Comme un poussin doit sortir de sa coquille pour voir sa mère, sortez donc de votre péché, monsieur, et vous le verrez Dieu»!

Certaines personnes sont tièdes, elles ne sont pas contre Dieu mais n'osent pas s'engager. Les tièdes, je les vomirai de ma bouche dit le Seigneur. Un jour il y avait un vieil âne qui était en face de deux bottes de foin; il en regardait une, puis regardait l'autre, «vais-je manger celle-ci, ou mangerai-je celle-là?» En fin de compte, cette vieille mûle est morte de faim.

LE ROYAUME DES CIEUX EST SEMBLABLE A :

Un jour il y avait un jeune homme qui était très fou. Il décida de se rendre près d'un lac pour y apprendre à nager. Arrivé au lac il se foutta à l'eau et vu qu'il ne savait pas nager, ce jeune homme était en train de se noyer. Un homme passa par là, vit le jeune homme, se précipita vers lui et lui sauva la vie. L'homme lui dit de faire attention la prochaine fois et surtout de réfléchir avant de faire quoi que soit. Ils partirent chacun de leur côté. Quelques années plus tard, le jeune homme s'amusait à désobéir au code de la loi institué dans ce pays et bientôt, il tua un policier. Il fut traîné en justice et il n'avait plus grand espoir, c'était la chaise électrique et il le savait bien. Tout piteux, il s'avança devant le tribunal, il leva les yeux vers son juge et quelle ne fut pas sa grande surprise lorsqu'il reconnu l'homme qui lui avait sauvé la vie quelques années passées. Il cria : «Hé! juge, ne me reconnaissez-vous pas, je suis le jeune homme à qui vous avez sauvé la vie un jour?» Les yeux humides et le coeur gros, le juge dit au jeune homme : «Un jour j'ai été ton sauveur mais, maintenant, dit-il, je suis ton juge. Je dois faire régner la justice, tu dois donc recevoir le salaire de tes iniquités».

R.H.

Certaines gens ne sont pas d'accord sur certains points de la Bible.
Le patient dira-t-il au médecin quel médicament il devrait lui prescrire?

St-Augustin

Il ne faut jamais jouer avec le péché, car bientôt on en devient esclave. Tout le monde se rappelle du film «Willard». Ce jeune homme, au commencement s'amusait avec un rat ou deux. Mais ils se mirent bientôt à se multiplier. Sa mère qui se rendait compte de son absence, lui demandait ce qu'il faisait dans la cour, toute la journée. Il mentait à sa mère et ne lui donnait pas de réponse claire. Au début, ces quelques centaines de rats lui obéissaient au doigt et à l'oeil, mais vint un temps où les rats se multipliaient à très grande vitesse et exigaient leur nourriture et il ne pouvait les contrôler. Il essaya tant bien que mal de tuer tous les rats en les noyant, mais rien à faire il y en avait trop, il était trop tard. Il se fit dévorer par ses propres rats et mourût.
Il en est de même à l'égard du péché.

On ne va pas à Dieu, on y grimpe.
Bossuet

Tu es libre de refuser le pardon, mais tu ne seras pas libre de refuser le châtiment de cet affront.

Dieu a dit : «Tu es entièrement libre de tes actes, mais non de leurs conséquences.

La vie est une école pour l'éternité.
G. Hermans

Croyez en Lui. Si vous n'y croyez pas pour votre salut, vous devrez Le rencontrer pour votre perte.
G. Hermans

Ils veulent que le cancer, le gansterisme la tuberculose disparaissent, mais pas le communisme. Lequel a pourtant fait plus de morts à lui seul que tous ces fléaux réunis.
R.W.

You can run but you can not hide.
James Taylor

Je me suis fait piquer une fois par une abeille. L'aiguillon me blessa, mais l'abeille fut plus gravement blessée encore, car elle mourût de cette piqûre.

B.J.

Un vieux cheval poussif (qui a le souffle) est plus utile qu'un âne sauvage.

B.J.

En Inde, les hommes grimpent sur les éléphants et tapent sur leurs oreilles avec un bâton pour les diriger. Si un instant, l'éléphant s'imaginait que c'est pour le battre et pour lui faire du mal, il ferait seulement une bouchée de son conducteur. Mais il sait que c'est pour le diriger. Il en est de même du pasteur à l'égard de ses brebis.

Un homme racontait qu'il avait une fois faillit mourir gelé dans l'extrême nord. Ses mains avaient perdu leur sensibilité, ses pieds s'engourdissaient et il était accablé par le désir de se coucher dans la neige et de s'endormir lorsque tout à coup, il se rendit compte qu'il était en train de se laisser geler. Il se releva et couru avec vigueur jusqu'à ce que la circulation soit stimulée. S'il n'avait pas subitement pris conscience du fait qu'il était en train de mourir et s'il n'avait pas agi en conséquence, il serait certainement mort.

B.J.

Le soldat qui ne risque pas sa vie, n'est pas un vrai soldat. Et les cicatrices sont les médailles d'honneur du soldat.

Le plus grand cadeau qui n'a jamais été fait à l'humanité, c'est la Bible.

Abraham Lincoln

La femme d'un riche fonctionnaire de France, un jour, voulu se suicider. «Un jour que je me plaignais à mon mari, il me répondit d'un air irrité et surpris : «Mais qu'est-ce que tu veux? tu as mon porte-feuille, tu as ma maison, tu manges à ma table, tout ce que ma fortune et ma position peuvent te donner est à toi, et pourtant tu te plains?» Cette femme dit : «Je veux ton coeur». Il répondit : «Cela appartient à un autre, tu peut avoir tout le reste, mais pas mon amour, c'est impossible». Nous pouvons offrir à Jésus-Christ tout ce que nous avons et pourtant il ne sera pas satisfait. «L'amour exige l'amour». Rien de moins ne saurait être suffisant. C'est pourquoi le «m'aimes-tu» de Jésus à Pierre devient le test suprême pour chaque chrétien.

O.J. Smith

Renan, le philosophe athée disait : «Je croirais peut-être si les chrétiens avaient l'air un peu plus sauvé.

Si tu veux boire, c'est ton affaire, mais si tu veux arrêter, c'est notre affaire.

(*Alcoolique anonyme*)

Celui qui ne veut pas prendre le temps de s'occuper de son âme pendant cette vie aura toute l'éternité pour y penser, mais il n'y aura plus de moyen de salut.

Quelqu'un demandait un jour à un chrétien ce qui était le plus nécessaire : lire la Bible ou prier? «Qu'est-ce qui est le plus utile à l'oiseau pour voler : l'aile droite ou l'aile gauche? (la messe sans la Bible)

Un homme est plus puissant sur ses genoux que derrière l'arme la plus puissante au monde.

Si nous obéissons à Dieu et lui donnons nos coeurs, il comblera les coeurs qui lui appartiennent.

Ste-Catherine

Dieu a désiré que l'homme l'aime par choix et non pas seulement par respect.

St-Ambroise

Vous avez peur de la mort?...éloignez-vous du péché!

St-Alphonse de Liguori

Il ne sert à rien de bâtir des châteaux en Espagne, si nous devons habiter en France.

St-François de Sales

La parole de Dieu est une eau purificatrice et une eau qui sanctifie.

Le Cardinal Maurice Roy

Ignorer l'existence du Diable, c'est risquer sa vie.
Hal Lindsey

Les persécutions ont toujours produit des chrétiens meilleurs, des chrétiens qui n'ont pas peur de témoigner, des conquérants d'âmes.
R.W.

Imaginez que les cosmonautes d'Apollo 11 quand ils ont été sur la lune auraient dit : «Nous sommes tout à fait en dehors de la trajectoire». Et supposez que du centre de contrôle, des hommes larges d'esprit et tolérants auraient répondu : «Oh, cela ne fait rien, il y a beaucoup de chemin qui mène à la lune. Prenez celui sur lequel vous êtes, n'importe lequel peut convenir». Il y a bien des gens qui disent cela du chemin qui conduit au ciel : «Tous les chemins mènent à Rome». Il n'en est pas ainsi avec le Seigneur.
B.J.

Si la souffrance n'avait que pour seul but de nous apprendre à prier, elle ne serait pas inutile.

L'instinct le plus fort de l'homme, c'est d'être aimé.
Freud

Il y a dans les Saintes Ecritures une puissance surnaturelle.
B.J.
Epître de St-Paul aux Romains, chapitre 1 verset 16, 1ère épître de St-Paul aux Corinthiens, chapitre 1 verset 18.

Ce ne sont pas tous ceux qui parlent du ciel qui y entreront.
B.J.

A cause du premier péché nous pouvons bien maudire Adam,...nous l'imitons quant même...
B.J.

Pour se sauver, il faut craindre de se perdre.
St-Alphonse de Liguori

Le Pape Paul VI écrivait au Cardinal Maurice Roy :

«C'est à tous les chrétiens que nous adressons de nouveau et de façon pressante un appel à l'action. Que chacun s'examine pour voir si ce qu'il a fait jusqu'ici est ce qu'il devrait faire.

Mieux vaut un bonne mort qu'une mauvaise vie.

Mieux vaut être esclave de Dieu qu'être maître de nous-même.

Personne n'a le droit d'être heureux tout seul.
Raoul Follereau

Pourquoi t'ai-je connu si tard!
St-Augustin

Le monde peut rejeter une croyance, mais il ne peut pas discuter une vie transformée.
B.J.

Tout semble s'améliorer dans notre monde, sauf l'homme.
B.J.

Celui qui nous a créé sans nous, ne nous sanctifie pas sans nous.
St-Augustin

De tout ce que nous pouvons offrir en sacrifice à Dieu, rien n'est plus précieux que notre volonté, car tout le reste lui appartient déjà.

Ici taille, ici brûle, mais épargne-moi dans l'éternité.
St-Augustin

En comparaison du feu Eternel, les souffrances terrestres ne sont pas insignifiantes, elles ne sont rien.
St-Augustin

Aujourd'hui la conscience c'est comme les gants de suède...ça se porte sale.

Les psychiatres nous disent qu'avant de pouvoir aider leurs patients, ceux-ci doivent venir à eux sincèrement, cherchant à se faire aider et se soumettant aux directives qu'ils recevront. Les patients ne peuvent pas être contraints ou forcés.

Spirituellement, il en est de même avec la foi.
B.J.

Lorsqu'on donne un poisson à un homme affamé, il aura faim demain. Si on lui apprend à pêcher, il n'aura plus jamais faim.
R.H.

Si Dieu est vrai, je veux mourir pour lui. Et si Dieu n'existait pas, je voudrais mourir encore plus vite.

Le bien est le bien, même si tous sont contre. Le mal est le mal, même si tous sont pour.
William Penn

Il nous faut trouver les moyens de faire entendre l'évangile hardiement et avec clarté.
Paul VI

Ste-Hildegarde de Bingen eut un jour une vision. Elle vit un petit garçon debout près d'une enclume et qui, avec un marteau, travaillait le fer. L'enfant grandit, devint jeune homme, puis homme fait, et en même temps que lui, grossissaient le marteau, les tenailles, l'enclume, puis ce fut un vieillard et il était toujours à l'enclume. Enfin, le forgeron mourût et arriva joyeusement dans l'éternité. Ayant travaillé durement toute sa vie, du matin au soir, année après année, il pensait recevoir une grande récompense. Arrivé à la porte du ciel, il fut prit d'effroi. Le fer auquel il avait travaillé toute sa vie était devenu un gros verrou qui lui fermait l'entrée du ciel. Il avait travaillé beaucoup et durement, mais il n'avait jamais travaillé que pour lui-même, pour les hommes ou pour le monde et jamais pour Dieu. Il n'avait jamais fait que ce qui lui plaisait, sans jamais se demander ce que Dieu voulait de lui.

A tous, il nous faut annoncer le message. (l'évangile)
Paul VI

Croyons en la force de la Parole de Dieu.
Paul VI

Aime Dieu et fait ce que tu veux.
St-Augustin

La mesure d'aimer Dieu est de l'aimer sans mesure.
St-Bernard

Je veux être sainte pour faire le bonheur de Dieu.
Ste-Thérèse-de-l'Enfant-Jésus

Mon rêve est de travailler au bien spirituel de l'Eglise jusqu'à la fin du monde.
Ste-Thérèse-de-l'Enfant-Jésus

Mon ambition est de dire à toutes les âmes quel est le secret du bonheur, caché au fond de moi-même.
Ste-Elisabeth de la Trinité

Que le prêtre vive comme un autre Christ.
Pie XI (Encyclique sur le sacerdoce)

Mieux vaut une bonne orange qu'une mauvaise pomme. Mieux vaut un bon protestant qu'un catholique pourri.
Auralien Pouliot, prêtre

Si on me demandait le secret du bonheur, je dirais : ne plus tenir compte de soi, renoncer à soi-même.
Soeur Elisabeth de la Trinité

Il y a un être qui s'appelle l'Amour et qui veut que nous vivions en société avec lui.
Soeur Elisabeth de la Trinité

Si vous n'avez jamais rencontré le Diable dans votre vie... c'est que vous allez dans le même sens que lui..
R.H.

Le secret d'être fort contre le démon, c'est d'être détaché des choses du monde.
Ste-Thérèse

La science nous a légué la faculté de nous détruire nous-mêmes.
Un Président

Une nouvelle naissance est semblable à une pièce de 25 cent, d'un côté un animal et de l'autre une reine.
Apocalypse de St-Jean, chapitre 3 verset 21.

Un jour, en s'amusant avec un vase de grande valeur, un petit garçon mit la main dedans, mais ne put la retirer. Son père essaya de l'aider de son mieux, mais en vain. Il pensait devoir casser le vase lorsqu'il eut une idée : «Mon enfant, dit-il, essaie encore une fois; ouvre la main et tend les doigts et puis tire». A son grand étonnement le petit homme lui répondit : «Oh non, je ne peux pas tendre les doigts, car si j'ouvrais la main je lâcherais mon sou». Des milliers d'entre nous sont comme ce petit garçon, si occupés à nous accrocher à nos pièces de monnaie sans valeur, que nous ne pouvons accepter la libération.

B.J.

C'est l'histoire d'un fermier qui prit un porc et le mit dans sa maison. Il le lava, le baigna, nettoya ses pattes, le parfuma, lui mit un ruban autour du cou et l'emmena dans son salon. Le porc était magnifique. Il semblait présentable et réconcilié avec la société. Il était si frais et si propre. Il fut un compagnon très agréable pendant quelques minutes, mais aussitôt qu'on ouvrit la porte, il se précipita dehors dans la première flaque de boue qu'il put trouver. Pourquoi? Parce qu'il était resté porc intérieurement. Sa nature n'avait pas été changée. Il avait subi une transformation purement extérieure.

B.J.

L'oeuvre des oeuvres, c'est de sauver des âmes.

St-Jean-Eude

La religion est un gin spirituel qui aide à adoucir les souffrances de la vie.

Lénine

Plusieurs leaders communistes ont dit ouvertement qu'ils domineraient le monde.

B.J.

Nous aussi, nous devons devenir des saints; car dans le ciel il n'y aura que des saints.

R.W.

Quand nous arriverons au ciel, nous regretterons de n'avoir pas investi davantage dans notre banque.

B.J.

La Bible est une lettre d'amour écrite par Dieu à l'homme.

R.W.

Judas se repentit en lui-même, tandis que Pierre se repentit devant le Seigneur.

Mgr. Fulton Sheen

On raconte l'histoire d'un grand Seigneur anglais du Moyen Age qui était en train de mourir. Il appela son serviteur qu'il savait être un chrétien fervent et lui demanda : «Jim, je vais mourir. Je ne suis pas sûr d'aller au ciel. Peux-tu me dire ce qu'il faut que je fasse?»Le vieux et sage serviteur, connaissant l'orgueil de son maître, lui dit : «Maître, si vous voulez être sauvé, il vous faut aller dans l'étable à cochons, vous agenouiller dans la boue et dire : «Dieu, aie pitié de moi, qui suis un pécheur». «Je ne puis vraiment pas faire cela, dit le maître, que penserait mes voisins et mes serviteurs?»
Une semaine passa et le maître appela de nouveau son serviteur : «Jim, qu'avais-tu dit que je devais faire pour être sauvé?» Le vieil homme répondit : «Maître, il vous faut aller dans l'étable à cochons». «J'ai repensé à ce que tu m'as dit Jim, je suis prêt à y aller». Le serviteur lui dit alors : «Maître, il n'est pas vraiment nécessaire que vous y alliez, il faut simplement que vous soyez disposé à le faire».

B.J.

Le salut n'est pas un voyage organisé : le curé va au ciel...toute la paroisse y va!

Un chrétien est quelqu'un de mort deux fois, mais d'enterrer une seule fois.

L'angoisse de l'homme augmente en proportion de son éloignement de Dieu.

Mgr. Fulton Sheen

Quelqu'un demandait à George Beverly ce qu'il savait de Dieu. Il dit : «Je n'en connais pas grand chose, mais ce que j'en connais a changé ma vie».

La paix de l'âme est donnée seulement à ceux qui

aiment Dieu.

Mgr Fulton Sheen

On raconte l'histoire d'un homme qui essayait de faire tenir un homme mort debout. Après de nombreux essais, il abandonna la partie en disant : «Il manque quelque chose à l'intérieur».

On vend aux Etats-Unis plus de 6,000,000 de doses de somnifère par jour.

Une bonne conscience est le meilleur oreiller.

Vieux proverbe

Un être qui vit sans Dieu est déjà, sans le savoir, malade et anormal.

William Ernest Hocking (psychanaliste)

Pour un chrétien, la perfection ne s'atteint que par la discipline.

Mgr Fulton Sheen

On ne peut exagérer lorsqu'il s'agit d'aimer Jésus.

Père Matéo

Le Nouveau Testament nous fait connaître quel moyen nous devons prendre pour recevoir le secours de Dieu.

Chanoine Racine

Lisez et relisez le Nouveau Testament.

Chanoine Racine

Si nous aimons Jésus-Christ, nous ne pourrons supporter qu'il demeure caché aux yeux des hommes.

Michel Quoist

Le chrétien est un homme qui doit être capable de lutter.

Michel Quoist

En 1977, il y a encore 1 milliard d'êtres humains qui souffrent de la faim.

Le Seigneur nous a envoyé proclamer l'évangile, il ne nous a jamais demandé de l'analyser.

Père Emilien Tardif

Croire en l'existence de Dieu ne sauve personne. Même les démons croient en l'existence de Dieu.

Père Emilien Tardif

Mettez toujours dans vos réunions de prière une bonne demi-heure de lecture de la parole de Dieu, et vous verrez des fruits extraordinaires.

Il est impensable qu'un homme qui a accueilli la Parole de Dieu ne témoigne de sa foi et annonce l'évangile à Son tour.

Paul VI

Dire oui à Jésus-Christ et non à la croix est impossible à un chrétien.

A l'entrée d'un cimetière il était écrit : «Pensez-y bien...»

Avec Dieu, on ne joue pas.

Jean XXIII

Les Ecritures Saintes me fournissent un aliment qui rassasie mon âme.

Jean XXIII

Il faudrait se nourrir sans cesse de l'évangile.

Jean XXIII

Malheur à moi, si je m'attachais aux biens de la terre.

Jean XXIII

Dieu est mon patron, mon seul patron pour la vie et pour la mort.

Jean XXIII

Je dois toujours me tenir prêt à mourir.

Jean XXIII

Je dois veiller à ma sanctification.

Jean XXIII

Celui qui a reçu des âmes à diriger doit se préparer à en rendre compte.

St-Benoît

Celui qui est préparé à mourir, ne redoute pas la mort.

St-Augustin

Je crois que les hommes qui vivent pour les autres parviendront un jour à rebâtir ce que les égoïstes ont détruit.

Martin Luther King

Le temps passe vite. Servez-vous de chaque minute pour ajouter un fleuron de plus à votre couronne.

Mgr Sylvain

Le soleil n'est que l'ombre de Dieu.

Michel Ange

Prêcher Jésus-Christ! le monde a besoin de cette bonne nouvelle comme il a besoin de nourriture.

Paul VI

Ce n'est pas : «On est 6 millions faut se pacter...»
Mais plutôt : «On est 6 millions, faut évangéliser!

Père J.-P. Régimbal

Les saints sont plus rares que les trèfles à 4 feuilles.

Il faut toujours s'accrocher après Dieu, car il n'y a pas de sécurité nulle part. «Au ciel les anges sont tombés quand ils étaient en présence de Dieu. Adam est tombé au milieu des délices du paradis terrestre et Judas est tombé à l'école même de Jésus-Christ.

St-Bernard

Il n'y a rien de plus beau qu'un bon prêtre. De même, il n'y a rien de pire qu'un mauvais prêtre.

St-Augustin

La Parole de Dieu est l'aliment de nos âmes.

St-François de Sales

La Parole de Dieu chasse le péché de l'âme. C'est pourquoi, celui qui se plaît au péché trouve la parole de Dieu amère.

St-François de Sales

La Parole de Dieu est une médecine.

St-François de Sales

Il n'y a qu'une chose à faire ici-bas : aimer Jésus de tout notre coeur et lui sauver des âmes.

Ste-Thérèse de l'Enfant Jésus

Quelques-uns viennent à l'église pour voir et pour s'y montrer. Ce n'est pas cela que nous voulons, mais premièrement des oeuvres saintes, un coeur pur et des intentions droites.

St-Jean-Chrysostome

Le fidèle se doit de collaborer à l'apostolat du prêtre.

St-Jean-Chrysostome

Tu peux tromper quelqu'un toutes les fois, tu peux aussi tromper tout le monde une fois, mais tu ne tromperas pas tout le monde toutes les fois.

Abraham Lincoln

Chez-vous, vous avez deux bibles?
Alors lisez-en une et mettez l'autre en pratique.

Vous n'aurez de repos que lorsque vous aurez une communion intime avec le Christ.

L'imitation de Jésus-Christ.

Les démons ne sont pas des êtres noirs pourvus de deux cornes et d'une queue tels qu'on les représente dans les dessins humoristiques. Ce sont des puissances invisibles mais réelles, qui détruisent l'homme de l'intérieur.

Le petit livre blanc des jeunes.

La croix du Christ est la plus grande blague que j'aie jamais entendu ou bien c'est la chose la plus importante au monde.

Un jour, un professeur dit à trois élèves de sa classe : «Voici, j'écris un problème au tableau, et demain, vous m'en rapporterai la réponse après y avoir pensé toute la nuit. Le lendemain, le professeur demande au premier d'aller résoudre le problème au tableau. L'élève avait quelques lignes d'écrites mais le professeur lui dit : «Non, mon ami, ce n'est pas ça, allez vous asseoir». Le deuxième se lève et commence lui aussi. Le professeur lui dit : «Ce n'est pas cela non plus, allez vous asseoir. Le

troisième se lève et fait lui aussi le problème. Le professeur lui dit : «Tu vois bien que c'est la même chose que l'autre gars a fait et auquel j'ai dit que ce n'était pas cela, alors pourquoi t'entêtes-tu à refaire le même problème?» Le jeune homme lui dit : «Monsieur, c'est que je suis sûr que c'est la bonne réponse». «Est-ce que tu veux dire que tu es plus intelligent que moi qui suis ton prof?» Le garçon lui dit : «Non, mais c'est juste que je suis sûr que c'est la bonne réponse». Le prof lui dit : «tu as raison, c'était bien la bonne réponse».
Mes enfants pour être convainquant, il faut être convaincu. Soyez toujours sûr de vous et de la vérité si vous voulez aller loin dans la vie. Il en est de même de votre foi et de la chrétienté.

Père J.-P. Régimbal

L'écriture est remplie de pierres précieuses.

Se conformer à la volonté de Dieu, c'est le remède à tous les maux.

St-Vincent de Paul

On en voit qui espère se sauver au moyen de certaines dévotions, de certaines pratiques extérieures (la messe), tandis qu'ils ne font point la volonté de Dieu dans leur vie.

St-Alphonse

Nous sommes tombés 10 fois? 100 fois? et bien, relevons-nous 10 fois, 100 fois.

Père Louis Colin

Le péché, c'est vouloir ce que Dieu ne veut pas.

St-Alphonse

Le règlement de la circulation exige que l'on s'arrête devant un feu rouge et cela est normal. Mais quand un homme saigne à mort, l'ambulance franchi les feux rouge à toute allure. Le trafic n'a qu'à s'écarter. «Il en était ainsi de Jésus et de ses disciples qui savaient faire des concessions à l'égard de la loi de Moïse pour mieux réconcilier les âmes.

Martin Luther King

A Bombay, chaque nuit, plus d'un million d'hommes

couchent sur les trottoirs. A Calcuta, chaque nuit, plus d'un demi-million d'hommes couchent sur les trottoirs, pendant qu'aux Etats-Unis on dépense des millions de dollars chaque jour pour entreposer des surplus de produits alimentaires.

Il ne faut pas se contenter de faire ce qui est agréable à Dieu, mais il faut vouloir ce qui lui est le «plus» agréable.

St-Alphonse

La Parole de Dieu purifie les hommes.

Bossuet

Au temps de St-Paul, les chrétiens étaient assis «dans» les lieux célestes, «en» Jésus-Christ.
Mais aujourd'hui, la plupart des chrétiens sont assis «dans» leur salon, «en» train de dormir.

L'abbé Girard

Quiconque aime son prochain doit travailler à lui faire aimer Dieu à son tour.

St-Augustin

La foi, c'est quand on parle à Dieu comme on parle à un homme.

Le curé d'Ars

A qui le menaçait de lui arracher les deux yeux, un saint répondait avec douceur : «Du moins, il me restera un coeur pour vous aimer».

Un officier communiste qui frappait un chrétien prisonnier à coups de matraque de caoutchouc s'arrêta pour lui demander : «Qu'est-ce que celà? Comment se fait-il que votre visage resplendisse? Comment pouvez-vous obéir à ce stupide commandement de votre Christ qui est d'aimer vos ennemis?»
Le chrétien répondit : «Je n'obéis pas à un commandement. Je ne vous aime pas seulement parce que Jésus l'ordonne, mais parce qu'il m'a donné un coeur nouveau et un esprit nouveau. Si je voulais vous haïr, je n'en serais plus capable. Un rossignol ne peut pas croasser comme un corbeau, car il est

rossignol et non un corbeau. Et un chrétien de même ne peut qu'aimer». Cette matraque de caoutchouc a été remise pour toujours.

R.W.

Tout change, tout passe, tout casse, sauf la charité.

Père Louis Colin

Le premier ennemi de la charité, c'est nous-même.

Père Louis Colin

Il faut la santé de l'âme avant celle du corps.

St-Thomas

Mieux vaut s'user que de se rouiller.

Père Louis Colin

Dieu ne nous commande pas d'être nombreux, mais d'être saint...

St-Alphonse

Vouloir aimer Dieu sans souffrir, ce n'est qu'une illusion.

Ste-Marguerite-Marie

Une conscience nette, purifiée, sans tache, quelle explosion de joie! C'est ce que Dieu fait quand on le laisse entrer. Lui seul peut chasser nos angoisses et nous donner la vraie paix intérieure.

A.C.

Si Dieu existait, je le voulais réel à moi, vrai à mon coeur et à mon intelligence. S'il existait, c'était d'une relation personnelle avec lui dont j'avais besoin, d'une authentique expérience.

A.C.

Jésus pose aujourd'hui la question : «Qui dites-vous que je suis?»

Qui peut à la fois oeuvrer en conspirateur dans l'Eglise du Silence et dire toujours ce qu'on appelle généralement «la vérité»? En se présentant, on prend un nom fictif. Celui auquel on parle est peut-être un informateur. Si l'on demande où j'étais hier, une réponse exacte pourrait causer grand dommage à beaucoup. Aujourd'hui encore l'enquêteur m'a dit : «Vous êtes un chrétien et un pasteur. Votre religion vous oblige à nous dire toute la vérité». J'avais là-dessus mes idées personnelles. Si j'avais cédé à ses exigences d'autres frères auraient été arrêtés. Aussi n'ai-je aucun scrupule à manquer de vérité pour égarer mes interrogateurs.

R.W.

Pour moi, le seul critère d'une action est de savoir si elle tend au triomphe final de l'amour.

R.W.

C'est aujourd'hui qu'il faut combattre pour son Royaume de justice, de paix et d'amour.

R.W.

Les ennemis de Jésus lui ont pris tout ce qu'il avait. Nu, il était suspendu à la croix. Ses ennemis, debout autour de lui, se réjouissaient. Mais au dernier instant il gâcha leur joie en disant : «*Père entre tes mains je rends mon esprit.*» Il possédait une chose qu'ils n'avaient pu lui prendre, et par elle il vit et règne pour toujours.

Jérôme travaillait à sa traduction à Bethléem, lieu de la naissance de Notre Seigneur. Comme il priait, Jésus lui apparut sous l'aspect d'un enfant. Le coeur du saint déborda alors d'une telle douceur qu'il dit : «Jésus Bien Aimé, je voudrais de tout mon coeur te faire un cadeau. Dis-moi ce qui te plairait le plus». L'Enfant sourit et répondit «Le ciel et la terre, et tout ce qu'ils renferment, tout cela est à moi. Que pourrais-tu me donner?». Le saint réplique : «Mais je t'aime et désire te faire un présent. Veux-tu accepter le peu d'argent que je possède, moi qui suis un moine?» L'Enfant toujours souriant, reprit à nouveau : «Donne ton argent aux pauvres. Je n'en ai pas l'emploi». Saint Jérôme insista : «Je ne peux pas te laisser partir les mains vides. Que te donnerai-je?» Alors, très grave, l'Enfant dit : «Si tu veux m'offrir quelque chose qui me remplira le coeur de joie, donne-moi tous tes péchés et tous tes désirs. Je mourrai à cause d'eux sur la croix. Il n'est don qui puisse emplir mon coeur d'autant de joie».

Saint Antoine de Padoue, encore enfant, rencontra aussi Jésus. On avait frappé à la grille de sa maison et Antoine avait couru voir qui était là. Ayant ouvert la grille, il vit un mendiant en haillons qui tremblait de froid. Plein de pitié, Antoine lui dit : «Je vais prier mon père de te donner des vêtements chauds». Le mendiant répondit : «Il fait très froid dans votre monde, mais je ne mendie pas de vêtements». Alors l'enfant lui demanda s'il avait faim. «Oui, dit le mendiant, mais je ne mendie pas de pain». Etonné, Antoine lui demanda pourquoi il avait frappé à la grille. «C'est, dit le mendiant, que je suis venu te demander de me donner ton coeur». L'enfant recula : «Mais, si je te donne mon coeur, je vais mourir». Alors le mendiant ouvrit un sac qu'il portait à l'épaule, il en sortit plusieurs coeurs, et dit : «Voici le coeur de Saint Paul, celui de Marie-Madeleine, et celui de St-Ignace. Tous ceux qui m'ont donné leur coeur, loin de mourir, vivent éternellement». Antoine comprit alors que celui qui se tenait devant lui était Jésus lui-même, et il se mit à le suivre. Nous aussi, donnons-lui nos coeurs.

Toi qui peux changer un enfer en paradis, qui par un seul «Je le veux» a purifié un lépreux, accorde-moi la sérénité.

Science politique
A la conférence de Téhéran, Churchill a dit : «La vérité est si précieuse qu'il faut l'entourer d'une forte garde du corps de mensonges.

Je suis le descendant d'hommes qui, pendant deux mille ans, ont refusé le christianisme. Il n'est pas facile de l'implanter dans une âme qui combat contre un tel héritage.

R.W.

Sois toujours comme moi, baîllonnée, ne parlant que pour l'honneur du Seigneur et de son oeuvre.

R.W.

Confiance en Lui, même s'il me tue. C'est le seul conseil que je puisse te donner.

R.W.

Ce qui manque aux souffrances du Christ, je l'achève dans ma chair.

Epître de St-Paul aux Colossiens, chapitre 1 verset 24

Les hommes demandent : «Délivre-nous du mal». N'attendez pas que ce soit Dieu dans le ciel qui fasse cela : il est en vous comme en moi. Cette prière s'adresse aussi à vous. Vous devez délivrer l'humanité du malin. Les responsabilités de Dieu sont les vôtres.

Que peut donc faire Dieu, que je prie, si tous ses ouvriers sont en grève et si ses soldats refusent de combattre?

Selon le Talmud, Dieu dit : «Oh! que les hommes m'oublient et qu'ils se mettent à s'aimer entre eux».

Ste-Monique ayant compris son devoir, ou tout au moins ce qu'elle croyait être son devoir, fut héroïque; alors qu'elle ne pouvait voir une ombre de tristesse sur le visage d'Augustin, alors que tout son bonheur était d'avoir son fils près d'elle, elle eut le courage de lui interdire de coucher désormais dans sa maison et de manger à sa table, parce qu'il vivait dans le péché continuellement.

Saint Augustin se convertit en ouvrant le Nouveau Testament.

Plus la science grandit, plus on découvre que l'on est ignorant. Ce qui prouve qu'il y a vraiment une puissance supérieure qui tient tout ça.

Combien faudrait-il d'oreilles à l'homme pour qu'il entende pleurer les autres?

Martin Luther King

Le monde appartiendra demain à ceux qui lui auront apporté la plus grande espérance.

Telhard de Chardin

Le spirituel est la base de l'édifice humain; il fournit à l'intelligence l'orientation nécessaire pour accomplir divinement son travail sur la matière et la conduire à son perfectionnement.

Le Dr. Jung affirme qu'après 35 ans les gens sont dominés par des problèmes religieux.

L'Eglise a commis beaucoup d'erreurs dans le passé. Elle devra changer beaucoup de traditions, et devra en changer encore; mais ce qu'on ne peut pas changer, ce sont les vérités essentielles enseignées par le Christ.

Pape Paul VI

Directives pontificales :
Les hommes connaîtront d'autant plus parfaitement le Christ, auteur de notre salut, l'aimeront d'autant plus ardemment, l'imiteront d'autant plus fidèlement qu'ils seront poussés avec plus de zèle à la connaissance et à la méditation des Saintes Lettres, en particulier du Nouveau Testament. Car, comme le dit Saint Jérôme : «L'ignorance des Ecritures est l'ignorance du Christ» et «s'il y a quelque chose qui tienne l'homme sage en cette vie, et le persuade, au milieu des souffrances et des tourments de ce monde, de garder l'égalité d'âme, j'estime que c'est en tout premier lieu la méditation et la science des Ecritures». C'est là que tous ceux qui sont fatigués et opprimés par l'adversité et l'affliction puiseront les véritables consolations et la vertu divine de souffrir et d'endurer. Ici, à savoir dans les saints Evangiles, le Christ est présent pour tous, exemple suprême et parfait de justice, de charité et de miséricorde; ici, s'ouvrent pour le genre humain, déchiré et inquiet les sources de cette grâce divine sans laquelle peuples et conducteurs de peuples ne pourront établir ou consolider ni l'ordre public, ni la concorde des esprits. C'est là, enfin, que tous apprendront à connaître le Christ, «qui est le chef de toute principauté et de toute puissance» et «qui, de par Dieu, a été fait pour nous sagesse, et justice, et sanctification, et rédemption».

Epître de St-Paul aux Colossiens, chapitre 2 verset 10, 1ère épître de St-Paul aux Corinthiens, chapitre 1, verset 30.
Encyclique divino Afflante Spiritu, 30 septembre 1943

Les forces du mal sont puissantes parce que celles du bien sont inactives.

R.W.

On raconte qu'un jour, un agitateur de gauche arriva à bicyclette à Hyde Park à Londres. Laissant sa machine contre une barrière, il s'adressa à la foule. «La propriété, c'est le vol. Nous descendons tous d'Adam et d'Eve ou d'un couple de singes. Au début il n'y avait ni riches, ni pauvres. Comment se fait-il qu'il y ait aujourd'hui des riches? Ils ont volé leur prochain. En prenant l'argent des riches, vous le prenez à des propriétaires. Reprendre ce qu'on vous a volé n'est pas un vol. Alors, si vous avez besoin de n'importe quoi, vous avez tout simplement le droit de le prendre. Il n'y a pas de policier au monde qui soit en droit de vous arrêter. Tout est à tous».
La foule l'applaudit, mais quand il voulut rentrer chez lui, sa bicyclette avait disparu. Il se mit aussitôt à crier : «Police!... Police!... on m'a volé ma bicyclette!»

L'évêque Hannington de l'Ouganda doit avoir prêché aux cannibales une foi qui persiste à travers toutes les souffrances. Après quoi ils l'ont emporté pour le manger. Tandis qu'on l'emmenait à l'endroit où ils allaient couper son corps en morceaux il se répétait tout le temps : aimez vos ennemis, priez pour vos persécuteurs (Evangile de St-Matthieu chapitre 5 verset 44).

Donner aux hommes la seule Bible comme règle suffisante, c'est comme donner aux écoliers tous les livres sans qu'il y ait personne pour les guider. Leurs besoins vont au-delà des livres; il leur faut un professeur.

R.W.

Le docteur Erlich fit 665 expériences négatives avant de découvrir le remède appelé en conséquence 666. Est-ce que les 665 expériences négatives ont été des erreurs? On peut les appeler ainsi, mais on pourrait dire tout aussi bien que c'étaient là 665 marches gravies vers la vérité. C'est seulement en ce sens qu'un chrétien peut errer. Chaque erreur de sa part est un pas nécessaire et inévitable en direction de l'Ultime Vérité qui demeure en lui et qui attend seulement que le chrétien creuse assez profondément en lui-même pour la découvrir.

R.W.

Les prisons sont pleines d'hommes qui souffrent à cause de passions telles que le jeu, le vol ou le vice sexuel. Pourquoi nous, les chrétiens, ne souffririons-nous pas aussi et avec joie pour notre passion?

R.W.

Saint Athanase possédait la vérité sur la Sainte Trinité. Un concile oecuménique le désavoua et il fut expulsé de l'Eglise sous l'accusation entièrement inventée d'avoir assassiné un évêque et violé une vierge. On lui signifia que le monde entier était contre lui, à quoi il répondit qu'il était lui-même contre le monde entier.
Ne faisons pas honte à ceux qui ont cru en nous, mais soyons ce que chrétien veut dire, des Christ en miniature, des parties vivantes de l'Unique grand corps mystique, dont Jésus est la tête et dont nous sommes tous les membres.

R.W.

Si nous aimions Jésus-Christ, nous annoncerions sa Parole telle quelle.

Gérard Marier

Pascal distingue, dans la religion chrétienne des chrétiens charnels et des chrétiens spirituels, les uns attachés aux réalités divines et les autres arrêtant leur regard à la terre.

C'est notre corruption qui nous empêche de comprendre la véritable signification de la Parole divine.

Pascal

L'oeuvre la plus importante de l'église de Jésus-

Christ c'est l'évangélisation du monde.
Dr. Oswald J. Smith

Hypocrite, vous ne faites pas ce que Dieu veut, vous faites ce que vous voulez de Dieu.
(on moule Dieu à notre façon)

Tu es né du ventre de ta mère, et tu finiras dans le ventre de nombreux vers de terre.
Professeur de catéchèse

L'homme dit : «Voir, c'est croire», mais Dieu dit : «Croire, c'est voir».
R.H.

Ce n'est pas tellement le désarmement des mains qui compte, mais le désarmement des coeurs.
Père Dominique Pire

C'est du coeur que vient l'adultère, le meurtre, ...etc
Jésus

Non seulement nous ne connaissons Dieu que par Jésus-Christ; mais nous ne nous connaissons nous-mêmes que par Jésus-Christ. Ainsi, sans l'Ecriture, qui n'a que Jésus-Christ pour objet, nous ne connaissons rien, et ne voyons qu'obscurité et confusion dans la nature de Dieu et dans notre propre nature.
Pascal

St-François d'Assise...

Là où est la haine, que je mette l'amour,
Là où est l'offense, que je mette le pardon,
Là où est la discorde, que je mette l'union,
Là où est l'erreur, que je mette la vérité,
Là où est le doute, que je mette la foi,
Là où est le désespoir, que je mette l'espérance,
Là où est la tristesse, que je mette la joie,
Là où sont les ténèbres, que je mette la lumière.

Si le diable n'existe pas, il fait beaucoup de ravage.
Roger Roy, prêtre

Le paradis est promis à ceux qui commencent une

bonne vie, mais il n'est donné qu'à ceux qui persévèrent.

Saint Bernard

Considérez que vous êtes poussière, et que vous retournerez en poussière.

St-Alphonse de Liguori

A peine y a-t-il vingt-quatre heures que ce jeune homme est mort, et la mauvaise odeur se fait sentir.

Saint Alphonse de Liguori

Donnez moi le temps de pleurer les offenses que je vous ai faites, avant que vous veniez me juger.

Saint Alphonse de Liguori

Mais, pour mieux voir ce que vous êtes, ô chrétiens! Allez visiter les tombeaux.

Saint Jean Chrysostome

Voilà donc, mon Dieu! voilà ce que doit être un jour ce corps pour lequel je vous ai tant offensé, la proie des vers et de la pourriture!

Saint Alphonse de Liguori

Tout doit finir; et si votre âme se perd à la mort, tout sera perdu pour vous.

Saint Alphonse de Liguori

Regardez-vous dès à présent comme mort, puisqu'il est certain que vous devez mourir.

Saint Laurent Justinien

Si vous étiez maintenant mort, que voudriez-vous avoir fait?

St-Alphonse de Liguori

Considérez les péchés de votre jeunesse, et rougissez; considérez les péchés de votre âge mûr, et gémissez; considérez enfin les désordres de votre vie présente, et tremblez, et hâtez-vous d'y remédier.

Saint Bernard

Si ces morts revenaient au monde, que ne feraient-ils pas pour la vie éternelle!
Et moi qui en ai le temps, que fais-je pour mon âme?

Saint Camille de Lellis

Pour vous mon cher frère, vous avez peut-être raison de craindre d'être ce figuier sans fruit, dont le Seigneur se plaignait, en disant : «Il y a trois ans que je viens chercher du fruit à ce figuier, et je n'en trouve point».
Vous qui êtes au monde depuis plus de trois ans, quel fruit avez-vous donné?

Saint Camille de Lellis

Le Seigneur ne cherche pas seulement des fleurs, mais il veut encore des fruits, c'est-à-dire, qu'il ne veut pas seulement de bons désirs et de bons propos, mais aussi des oeuvres saintes.

Saint Bernard

Quand le corps d'un prince est dans la fosse, les chairs s'en détachent, et bientôt son squelette ne se distingue plus des autres.

Saint Basile

Les hommes naissent ici-bas dans des conditions inégales; mais après la mort, tous sont égaux.

Senèque

La mort ne respecte ni la fortune, ni la puissance; et prince ou sujet, tout homme devient la proie de la corruption.

Théodoret

Ainsi, quand on meurt, fût-on roi, on n'emporte rien avec soi au tombeau; on laisse toute sa gloire sur le lit où l'on expire.

Saint Alphonse de Liguori

Ce que vous pouvez faire aujourd'hui, ne le remettez pas à demain; car le jour présent passe et ne revient plus.

Saint Alphonse de Liguori

A la mort d'Alexandre-le-Grand, un philosophe s'écria : «Voilà celui qui hier foulait aux pieds la terre, aujourd'hui il y est enfoui; hier toute la terre ne pouvait le contenter, aujourd'hui un espace de sept palmes lui suffit; hier il dominait sur la terre à la tête des armées, aujourd'hui il y est déposé par quelques porteurs». Mais, écoutons plutôt ce que Dieu dit lui-même :«O Homme! ne vois-tu pas que tu es poussière et cendre? à quoi bon t'enorgueillir? à quoi bon consumer ton esprit et tes années à t'élever dans ce monde? La mort viendra, et alors se dissiperont toutes tes grandeurs et tous tes projets».

Saint Antonin

Quand on ouvrit le cercueil de l'impératrice Isabelle, l'horrible état du cadavre, et la puanteur qu'il exhalait, mirent tout le monde en fuite; mais Saint François, guidé par la lumière divine, s'arrêta à contempler dans ce cadavre la vanité du monde et il s'écria en le regardant : «Quoi! Est-ce donc vous qui êtes mon impératrice! vous, devant qui tant de grands personnages se prosternaient par respect? O illustre Isabelle! où s'en est allée votre majesté, votre beauté? Puisque c'est là, conclut-il en lui-même, qu'aboutissent les grandeurs et les couronnes de la terre, je veux désormais servir un maître qui ne puisse plus m'être enlevé par la mort». Dès ce moment il se consacra tout entier à l'amour de Jésus crucifié, en faisant voeu d'embrasser l'état religieux si sa femme venait à mourir; ce qu'il exécuta en effet dans la suite, en entrant dans la Compagnie de Jésus.

Saint François de Borgia (Espagne)

Un cardinal portait sur son anneau cette inscription : Souviens-toi qu'il faut mourir.

Le cardinal Baronius.

Celui qui vous crie : «Prenez garde à vous!» n'a pas la volonté de vous tuer.

Saint Augustin

Il est donc nécessaire de préparer ses comptes, avant qu'arrive le jour des comptes.

Saint Alphonse de Liguori

Pour vous sauver, mon cher frère, il faut quitter le péché; et si vous devez le quitter une fois, pourquoi ne le pas quitter tout de suite?

Saint Augustin

Le Seigneur ne dit pas que nous nous préparions quand la mort arrive, mais que nous nous trouvions préparés.

Saint Alphonse de Liguori

Et quand la mort arrive, il n'y a point de force qui puisse lui résister : on résiste au feu, à l'eau, au fer; on résiste à la puissance des rois; mais on ne peut résister à la mort.

Saint Augustin

Conséquemment, il faut que nous nous procurions, non pas cette fortune qui finit, mais celle qui sera éternelle, puisque nos âmes sont éternelles.

St-Alphonse de Liguori

Mon frère, comme vous avez été inscrit un jour au livre des baptêmes, de même vous serez un jour inscrit au livre des décès.

St-Alphonse de Liguori

Comme vous avez plusieurs fois entendu sonner à la mort des autres, de même d'autres entendront sonner à votre mort.

St-Alphonse de Liguori

Tous les biens du monde se réduisent aux plaisirs sensuels, aux richesses, et aux honneurs; tout cela est bien méprisable aux yeux de celui qui réfléchit que bientôt il ne sera plus que poussière, après avoir, dans la tombe, servi de pâture aux vers.

Saint Alphonse de Liguori

Un prince, en mourant disait tout consterné : «Moi qui possède tant de terres et tant de palais en ce monde, si je meurs cette nuit, je ne sais où j'irai loger!»

Saint Bernardin de Sienne

La sentence de mort est écrite pour tous les hommes. Vous êtes homme, vous devez mourir. Tout notre avenir est incertain, hormis la mort seule.

Saint Augustin

Fût-il noble ou roi, tout homme doit être moissonné

par la mort.

St-Alphonse

Si quelqu'un vous doit une somme considérable, vous vous hâtez de prendre vos assurances au moyen d'une obligation écrite, en disant : Qui sait ce qui peut arriver? Et pourquoi n'usez-vous pas de la même précaution, quand il s'agit de votre âme, qui vaut beaucoup plus que cette somme?

Saint Alphonse de Liguori

Il faut travailler à notre salut, non seulement en craignant, mais encore en tremblant.

Saint Paul

Les malheureux! à la mort, ils recourront à Dieu, et Dieu leur dira : «Maintenant, c'est à moi que vous recourez? Appelez les créatures à votre secours, puisqu'elles ont été vos dieux».

Saint Alphonse de Liguori

Celui qui a mené une mauvaise vie jusqu'à la fin, ne fera jamais une bonne fin.

Saint Jérôme.

La vie présente ne nous est pas donnée pour nous reposer, mais pour travailler, et, par nos travaux, mériter la vie éternelle.

Saint Ambroise

Les tourments qui , à la mort, affligent les pécheurs, n'affligent pas les saints.

Saint Alphonse de Liguori

Si quelqu'un habitait une maison dont les murs ne tiennent plus, et dont les planchers et les toits tremblent, tellement que tout menace ruine, combien ne devrait-il pas désirer d'en sortir! Dans cette vie, tout menace notre âme d'une ruine irréparable; le monde, l'enfer, les passions, les sens rebelles, tout nous porte au péché et à la mort éternelle. Qui me délivrera de cet abîme?

Saint Cyprien

Heureux qui, dans cette vie, se tient uni à Dieu! Mais, comme le navigateur ne peut se dire en sûreté que lorsqu'il est arrivé au port et à l'abri de la tempête, de même une âme ne peut se dire pleinement heureuse que lorsqu'elle sort de la vie dans la grâce de Dieu. Et si le navigateur se réjouit lorsqu'après tant de périls il est près d'aborder au port, combien plus doit se réjouir celui qui va être assuré de son salut éternel!

Saint Maxime

Un martyr étant mené au supplice, ceux qui le conduisaient lui demandèrent comment il pouvait aller si gaiement à la mort : Ah! répondit le Saint, ce n'est point à la mort que je vais, c'est à la vie!

Saint Pione

Des hommes acceptent de tout quitter pour livrer des batailles vaines d'hommes, mais quand il s'agit de livrer bataille pour le Christ, ils hésitent encore.

La mort, si elle trouve l'homme endormi, vient comme un voleur, le dépouille, le tue, et le jette dans le gouffre de l'enfer; mais, si elle le trouve vigilant, elle le salue comme envoyée de Dieu avec ce message : «Le Seigneur vous attend aux noces; venez, je vous conduirai au royaume bienheureux auquel vous aspirez».

Saint Thomas

Qu'est-ce qui rend la mort mauvaise? Le péché seul; il faut donc craindre le péché seul, et non la mort.

Saint Ambroise

«Quand leur frayeur viendra comme une subite destruction et que leur calamité arrivera comme un tourbillon, quand la détresse et l'angoisse viendront sur eux : alors ils crieront vers moi, et Je ne répondrai pas; ils me chercheront de bonne heure, mais ils ne me trouveront point».

Le Seigneur appelle folles ces vierges qui voulaient préparer leurs lampes, quand déjà l'époux arrivait. Matt. 25 :3 : «Celles qui étaient folles, en prenant leurs lampes, ne prirent pas d'huile avec elles»

Ceux-là meurent heureusement, qui, à ce dernier

moment, se trouvent déjà morts au monde, c'est-à-dire, détachés de ces biens, dont la mort doit nous séparer bon gré, mal gré.

Saint Alphonse de Liguori

Ce qu'on ne fait pas dans sa vie, il est fort difficile de le faire à la mort.

Saint Alphonse de Liguori

Représentez-vous l'instant de la mort, et vous n'aurez aucune peine à tout mépriser.

Saint Jérôme

Si quelqu'un apprenait que dans peu il aura un procès, d'où dépend sa vie ou toute sa fortune, avec quel empressement il chercherait un bon avocat, pour défendre sa cause auprès des juges, et pour trouver les moyens de se les rendre favorables.

Saint Alphonse de Liguori

Mais dira quelqu'un, je suis jeune; plus tard, je me donnerai à Dieu. Sachez, lui répondrai-je, que le Seigneur a maudit le figuier qu'il trouva sans fruit, bien que ce ne fût pas la saison des figues, comme le remarque l'Evangile. Par là, Jésus-Christ a voulu nous montrer que l'homme en tout temps, même dans sa jeunesse, doit porter des fruits de bonnes oeuvres.

Saint Alphonse de Liguori

Les ouvriers inoccupés dont parle Saint Matthieu, ne faisaient aucun mal, mais seulement ils perdaient leur temps; et c'est ce que leur reproche le maître de la vigne.

Voir : Evangile de St-Matthieu chapitre 20 verset 6.

C'est aujourd'hui que Dieu vous appelle à faire le bien, faites-le donc aujourd'hui; car demain peut-être, ou vous n'aurez plus le temps, ou Dieu ne vous appellera plus.

Saint Alphonse de Liguori

Si l'on vous cédait en propriété autant de terrain que vous pourriez en parcourir dans une journée, ou autant d'argent que vous en pourriez compter, quel effort ne feriez-vous pas? Eh bien! vous pouvez acquérir à chaque instant des trésors éternels, et vous perdez du temps?

Saint Alphonse de Liguori

Car que profitera-t-il à un homme s'il gagne le monde entier, et qu'il fasse la perte de son âme; ou que donnera un homme en échange de son âme?

Evangile de St-Matthieu, chapitre 16 verset 26

Il n'y a dans le monde qu'un seul bien et un seul mal : l'unique bien, c'est de se sauver; l'unique mal, c'est de se damner.

Saint François Xavier

Nous devons donc nous appliquer, d'un côté à fuir les occasions dangereuses, et de l'autre, à user des moyens nécessaires pour parvenir au salut; car le succès dépend de notre travail.

Saint Bernard

Tous voudraient se sauver, mais sans se gêner. Chose étonnante! Le démon, pour nous perdre, se donne tant de peines, et ne dort pas; et vous, quand il s'agit de votre bonheur ou de votre malheur éternel, vous êtes si négligent!

Saint Augustin

Affaire importante, affaire unique, affaire irréparable. Il n'y a pas de faute comparable à celle de négliger son salut éternel.

Saint Eucher

Espérez-vous peut-être que Dieu multipliera pour vous ses lumières et ses grâces, à mesure que vous multiplierez vos iniquités?

Saint Alphonse de Liguori

Le jour de la mort est appelé un jour de perte, parce qu'en ce jour les biens de la terre, honneurs, richesses, plaisirs, tout doit être perdu. Ces biens, nous ne pouvons pas les appeler Nos biens, puisque nous ne pouvons pas les emporter avec nous en l'autre monde; il n'y a que les vertus qui nous y accompagnent.

Saint Ambroise

Pensez que le monde est un traître, qui promet, et ne tient pas. Mais quand même il tiendrait ce qu'il vous promet, il ne pourra jamais contenter votre coeur; et supposé qu'il le contente, combien de temps durera votre bonheur? Peut-il durer plus que votre vie? Et à la fin qu'emporterez-vous dans l'éternité? Y a-t-il par hasard un seul riche qui ait pris avec lui, soit une pièce de monnaie?

Saint Ignace de Loyola

Vanités des vanités! C'est ainsi que Salomon appelait tous les biens de ce monde, après ne s'être refusé aucun de tous les plaisirs qui se trouvent sur la terre, comme il l'avoue lui-même.

Il faut peser les biens dans la balance de Dieu et non dans celle du monde, qui est trompeuse.

Saint Alphonse de Liguori

Si l'on a toutes les richesses sans posséder Dieu, on est le plus pauvre du monde; mais le pauvre qui possède Dieu, possède tout.

Saint Augustin

Bien fou serait un voyageur qui, ne faisant que passer dans un pays, voulût y dépenser tout son patrimoine dans l'achat d'une campagne, d'une maison, qu'il lui faudrait quitter peu de jours après; pensez donc que vous n'êtes ici-bas que passager; ne vous attachez point à ce qui frappe vos regards; voyez et passez; procurez-vous une bonne demeure où vous devez vous fixer pour toujours.

Saint Augustin

Voulez-vous maintenant savoir quelle sera votre demeure dans l'éternité? Ce sera celle que vous méritez et que vous choisissez vous-même par vos oeuvres.

Saint Alphonse de Liguori

De quelque côté que tombe, à la mort, l'arbre de mon âme, il y devra rester éternellement.

Saint Alphonse de Liguori

Il n'y a pas de milieu : ou toujours roi dans le ciel, ou

toujours esclave dans l'enfer; ou bienheureux à jamais dans un océan de délices, ou désespéré à jamais dans un abîme de tourments!

Que sert de s'inquiéter, comme font quelques-uns, en se disant : Suis-je réprouvé ou prédestiné? Lorsqu'on abat un arbre, de quel côté tombe-t-il? Il tombe où il penche. De quel côté penchez-vous, mon frère? Quelle vie menez-vous?

Saint Alphonse de Liguori

Celui qui croit à l'éternité, et ne vit pas en saint, devrait être enfermé dans une maison de fous.

Père Avila

Qui donc jamais serait assez sot, pour vouloir prendre du poison avec espoir d'en guérir?

Saint Augustin

Que de peines se donnent les hommes pour se procurer une maison commode, bien aérée et dans un lieu salubre, en vue d'y passer toute leur vie! Pourquoi donc sont-ils si insouciants au sujet de la demeure qu'ils doivent occuper éternellement?

Saint Alphonse de Liguori

Hélas! c'est le manque de foi qui est la cause de tant de péchés et de la damnation de tant de chrétiens! Ranimons donc sans cesse notre foi!

Sainte Thérèse

Je crois qu'après cette vie, il y a une autre vie qui ne finit jamais. Ayant toujours cette pensée devant les yeux, prenons les moyens d'assurer notre salut éternel.

Sainte Thérèse

S'il faut même quitter le monde, quittons-le; car on ne saurait prendre trop d'assurances dans la grande affaire du salut éternel.

Saint Bernard

L'homme, quand il pèche, que fait-il? Il dit à Dieu : Seigneur, je ne veux pas vous servir.

Saint Alphonse de Liguori

L'homme est un ver misérable, qui ne peut rien; aveugle, qui ne voit rien. Et ce ver abject veut injurier un Dieu!

Saint Bernard

Le pécheur dit la même chose : Seigneur, je ne vous connais pas, je veux faire ce qu'il me plaît... En un mot, il l'outrage en face et lui tourne le dos; car voilà proprement le péché mortel : c'est tourner le dos à Dieu.

Saint Thomas

L'homme, quand il pèche, ose se déclarer ennemi de Dieu, il lui résiste en face.

Que diriez-vous, si vous voyiez une fourmi qui voulut lutter contre un soldat?

En effet, le pécheur renonce à sa grâce et, pour une indigne satisfaction, il foule aux pieds l'amitié de Dieu.

Si l'homme consentait à perdre l'amitié de Dieu pour gagner un royaume, et même le monde entier certes, il ferait un grand mal; car l'amitié de Dieu vaut plus que le monde, et mille mondes.

Ainsi, lorsque l'âme consent au péché, elle dit à Dieu : Seigneur, retirez-vous de moi. Elle ne le dit pas de bouche, mais de fait.

Saint Grégoire

C'est précisément ce dont le Seigneur se plaint à Sainte Brigitte, en disant qu'il est traité par les pécheurs comme un roi banni de son propre royaume, pour être remplacé par un brigand.

Le péché est en soi destructif de Dieu même.

Saint Bernard

Souvenez-vous, ô pécheurs, que le Seigneur est là vous appelant, ce Seigneur qui doit un jour vous juger!

Sainte Thérèse

Ingrats, ne me fuyez plus. Dites-moi : pourquoi me fuyez-vous? Je veux votre bien, je n'ai d'autres désirs que de vous rendre heureux; pourquoi voulez-vous vous perdre?

Adam, après sa révolte, fuyait la présence du Seigneur, et se cachait; voilà que Dieu ayant perdu Adam, s'en va le cherchant, et il l'appelle comme en pleurant : Adam, où es-tu? Parole touchante, que le père Pereira commente ainsi : «C'est le cri d'un père affligé qui cherche un enfant qu'il a perdu. Dieu a fait tant de fois la même chose pour vous, mon frère. Vous fuyez loin de Dieu, et Dieu allait vous appelant, tantôt par des inspirations, tantôt par des prédications, tantôt par des remords de conscience, tantôt par des tribulations, tantôt par la mort de vos amis».

Dieu court après les pécheurs comme un amant méprisé; il les conjure de ne pas se perdre. C'est précisément ce qu'exprimait Saint Paul, quand il écrivait aux Corinthiens : «Nous vous en conjurons au nom de Jésus-Christ, réconciliez-vous avec Dieu». Voici la belle réflexion que Saint Jean Chrysostome fait sur ce passage : ce n'est pas le pécheur qui a des efforts à faire pour engager Dieu à se réconcilier avec lui; il n'a qu'à se résoudre à vouloir la paix avec Dieu, car c'est lui et non pas Dieu qui fuit la paix.

Saint Denis l'Aréopagite

Dieu n'agit point envers nous comme nous faisons envers lui.

Le Concile a tracé les grandes lignes d'un statut théologique du laïcat. L'Evêque était invité à constituer un conseil diocésain de pastorale, afin de permettre aux laïcs d'apporter leur contribution effective à l'établissement et au développement d'un véritable apostolat d'Eglise : Pastorale du baptême, du mariage, etc.

La réforme liturgique a ouvert la porte à la participation des laïcs : dans la liturgie par exemple, la Parole de Dieu peut être proclamée par des laïcs. La catéchèse est assumée en grande partie par des laïcs. Des laïcs aussi trouvent dans le diaconat permanent le point d'appui de leur engagement.

Avec Vatican II, on a redécouvert que tout chrétien a un rôle à jouer en plus du prêtre. Les laïcs ont une grande responsabilité, celle de témoigner des valeurs chrétiennes et évangéliques. Un chrétien baptisé doit devenir un apôtre, un évangélisateur. Il n'a pas le droit de garder le don de la foi pour lui.

Il faut bien se rappeler que dans la liturgie eucharistique, la Parole de Dieu et le sacrifice de la messe ne sont pas séparables.

Paul VI

L'Eglise ne peut changer la Révélation et ce que le Christ est venu nous enseigner.

Paul VI

Nous sommes à inventer de nouveaux modes de présentation de l'Eglise, et il faut retrouver un nouveau souffle d'évangélisation. Dans un milieu déchristianisé depuis trente ans, il faut réévangéliser.

Paul VI

Allez à la vitesse de Dieu.

Mgr Lafontaine

L'évangélisation s'adresse certainement à ceux-là mêmes qui vivent à l'intérieur de l'Eglise — chacun de nous et tous les fidèles. Car «évangélisatrice, l'Eglise commence par s'évangéliser soi-même» écrit Paul VI.

Mgr Paul Grégoire

Nous avions tort de ne pas le reconnaître et surtout de ne pas reconnaître dans ce monde l'existence «d'un puissant et tragique appel à être évangélisé»

Mgr Paul Grégoire citant S.S. Paul VI

C'est à l'Eglise toute entière qu'il a fondée que le Christ a confié la grande mission de conduire les hommes vers le Père. Il revient donc à tous les membres de cette Eglise de collaborer à l'évangélisation du monde.

Mgr Paul Grégoire

Si nombreuses et intéressantes que soient nos initiatives elles porteront peu de fruit si elles ne jaillissent pas d'un coeur qui a déjà été saisi par le Christ et demeure constamment en lui.

Mgr Paul Grégoire

Il faut vivre sa foi et ne pas avoir peur de le montrer.

Mgr Laurent Noël

Nous ne pouvons pas mettre notre main dans celle de Jésus et montrer le poing aux frères du Christ.

Mgr Albert Sanschagrin

C'est en ayant plus d'«audace missionnaire» que l'Eglise et ceux qui en font partie auront le plus de chances de rallier à l'Evangile les distants, les indifférents et les incroyants.

Mgr J.M. Lafontaine évêque auxiliaire de Montréal

Si collectivement dans l'Eglise nous étions plus missionnaires, si nous avions plus d'audace missionnaire, le message évangélique et l'idéal de vie que nous proposons seraient mieux reçus.

Mgr J.M. Lafontaine

Je n'entend pas recommander par là que les catholiques «se lancent dans une croisade,» mais qu'ils annoncent l'Evangile et témoignent de leur foi le plus simplement du monde, quotidiennement, par la parole et par leur style de vie.

Mgr J.M. Lafontaine

Le concile Vatican II a mis en lumière le sacerdoce commun des fidèles et a proposé «une Eglise toute entière ministérielle».
C'est par eux tous que l'intervention gratuite de Dieu en Jésus-Christ est accueillie, manifestée et servie dans le monde.

Mgr J.M. Lafontaine

Et chaque soir, quelque soit l'heure, ce couche-tard ne se met jamais au lit avant d'avoir consacré quelques minutes à la prière et à la lecture de la Bible.

Mgr J.M. Lafontaine

L'Eglise a pour mission d'éduquer les consciences.
Mgr J.M. Lafontaine

Je trouve nécessaire de rappeler que nous autres chrétiens, nous devons être très fermes et lucides dans le choix de notre inspiration première et fondamentale. Celle-ci se trouve dans l'Evangile...
Mgr J.M. Lafontaine

La vérité comme fondement, c'est être original, de se passionner pour la vérité, de rejeter ou dénoncer la stratégie des demi-vérités.
Mgr J.M. Lafontaine

Je crois qu'il y a peu d'espoir à l'horizon de notre société à moins qu'un esprit l'inspire qui soit tout différent des tendances actuelles axées sur l'égoïsme et le recours systématique au conflit. Cet esprit, nous le retrouverons dans l'enseignement d'un prophète, d'un maître de vie dont nous nous sommes malheureusement éloignés. C'est en effet l'actualité étonnante de Jésus de Nazareth que de nous fournir, aujourd'hui comme il y a 2000 ans, l'inspiration dont nous avons collectivement besoin.
Mgr J.M. Lafontaine

Aussi la Cité qu'inspire le sens chrétien est-elle tout autre que celle que nous connaissons. Elle repose sur la vérité comme fondement; elle recherche la justice comme règle, la liberté comme climat; elle a l'amour comme moteur.
Mgr J.M. Lafontaine

Non seulement la vérité est une chose à croire, mais une réalité à vivre.
Père Jean-Paul Régimbal

Souvent on fait un monologue avec Dieu, mais quand on lit le Nouveau-Testament, cela devient un dialogue.

Pourquoi le mal et le bien si la conclusion de la vie est 6 pieds sous terre.

Les gens qui disent : «L'Evangile c'est pour les jeunes», je leur répond : «Ca fait longtemps que vous avez finit de grandir et vous mangez quand même».

A ceux qui nous disent : «Pourquoi parles-tu tant de Jésus-Christ?»
On leur répond : «Celui qui a découvert l'ampoule électrique en parlait à tout le monde. Moi, j'ai découvert la vie éternelle».

Si tout le monde va au ciel il va donc y avoir autant de problèmes au ciel qu'il y en a sur la terre. A ce compte là, ça ne m'intéresse pas du tout d'aller au ciel.

A quoi servirait-il de cueillir les fleurs, si tu n'as personne à qui les offrir?

Si le travail que je fais ne plait pas à tout le monde, cela n'est pas important, pourvu que je plaise à Dieu.

Le Christianisme, c'est la révolution par la charité.
Raoul Follereau

Chaque année, 5 millions d'hommes meurent de faim.

Vous êtes allés dans la lune? Et puis après? Vous êtes incapable de supprimer la misère, la maladie, la faim, l'injustice sociale ...

Contestez, mais pour construire.
Raoul Follereau

L'Evangile est encore à découvrir.
Pape Jean XXIII

Le Christ aurait pu demander à son Père, et il en aurait immédiatement obtenu, plus de douze légions d'anges pour annoncer au monde la rédemption. Au lieu de cela c'est à nous que le Christ a donné cette tâche et ce privilège, à nous les derniers de tous les saints qui sommes vraiment indignes d'être appelés apôtres. Volontairement, c'est à notre seule voix qu'il s'en est remis pour annoncer à l'humanité la bonne nouvelle. C'est à nous qu'est donné cette grâce de prêcher aux païens les insondables richesses du Christ.

Pape Paul VI

Et chacun de nous, de par sa qualité même de chrétien, doit se sentir poussé à diffuser cette bonne nouvelle jusqu'aux extrémités de la terre. Nous ne pouvons pas ne pas dire ce que nous avons vu et entendu.

Pape Paul VI

À tout disciple du Christ incombe pour sa part la charge de répandre la foi. Tous les fils de l'Eglise doivent avoir une vive conscience de leur responsabilité à l'égard du monde...et dépenser leurs forces pour l'oeuvre de l'évangélisation.

Pape Paul VI

On lit très peu, et parmi ceux qui veulent parfois s'instruire la plupart lisent très mal.

Voltaire

A l'Université, j'enseignais le grec, le latin et la religion. Lorsque j'enseignais le grec, je me demandais quand mes élèves se serviraient de cela de même quand j'enseignais le latin. Mais quand j'enseignais la religion, je me donnais cent fois plus, je donnais tout ce que je pouvais donner et encore plus, car je savais que cela leur servirait toute leur vie.

Sr Berthe Bouchard

Il nous faut redécouvrir Jésus-Christ dans Sa Parole.

Mgr Bertrand Blanchet (évêque de Gaspé)

Donner pour Dieu n'appauvrit pas.

Bossuet

La grande faute des hommes, c'est de croire que Dieu n'est pas nécessaire à leur bonheur.

Saint Augustin

Ne dites que ce qui peut être utile aux autres et à vous-même; évitez les conversations futiles.

Benjamin Franklin

Il vaut mieux demeurer avec un lion et avec un dragon que d'habiter avec une méchante femme.

Job

Le monde est un grand hôpital où tout le monde est malade.

Bossuet

La terre serait un paradis, si la religion chrétienne y était observée.

La fortune embrasse quelquefois, mais étouffe souvent.

La terre est le champ où nous semons pour l'autre vie.

PROVERBES

Qui sert Dieu a bon maître.

Patience vient à bout de tout.

Qui aime ses enfants les corrige souvent.

A qui Dieu aide, nul ne peut nuire.

Il ne faut rien remettre au lendemain.

Chaumière où l'on rit vaut mieux que palais où l'on pleure.

L'ivraie pousse avec le bon grain. Il ne faut pas arracher l'ivraie de peur d'arracher le bon grain. Il faut laisser pousser les deux et ne pas se faire justice soi-même. Le Seigneur lui-même séparera le bon du mauvais au jour du jugement.

Sainte Thérèse de Lisieux, une journée, regardait une soeur qui faisait le lavage et ayant été arrosée par de l'eau sale du lavage, s'humilia. «Qu'est-ce qu'il y a de mal à se faire salir? Jésus lui-même a porté nos saletés. Jésus lui-même a été humilié».

Un léopard peut-il enlever ses taches?

Ste-Thérèse de Lisieux

La prière est une rame qui nous aide à remonter le courant.

Si nous savons nous habituer à la solitude, elle deviendra bientôt notre meilleure amie.

A DES COMMUNISTES

Jugeons sur les fruits, comme Jésus l'a conseillé. Des actes regrettables ont souillé l'histoire de l'Eglise, mais elle a étendu son amour infini et sa sollicitude aux hommes du monde entier. Elle a donné une multitude de saints et elle a le Christ, le plus saint de tous, à sa tête. Que sont vos idoles? Des hommes comme Marx présenté comme un ivrogne par son biographe Riazanov, directeur de l'Institut Kark Marx de Moscou. Ou Lénine, dont la femme nous raconte qu'il était un joueur insouciant et dont les écrits dégoutent de venin. «Vous les reconnaîtrez à leurs fruits». Le communisme a anéanti des millions d'innocentes victimes, ruiné des Etats, rempli l'air de mensonge et de peur... On peut commettre des atrocités au nom de la politique; Hitler parlait de la lutte pour l'espace vital et anéantit sous ce prétexte des populations entières. Staline disait : «Nous devons prendre soin des hommes comme des fleurs», et il a tué sa femme.

R.W.

Le premier travail de Karl Marx avait été un commentaire de l'Evangile selon saint Jean.

En cherchant Dieu, nous devons être préparés non seulement à réviser nos idées, mais aussi à réformer nos vies.

John Stott

Nous ne commencerons à nous trouver nous-mêmes que lorsque nous serons prêts à nous perdre pour le Christ et pour nos frères.

John Stott

L'insensé cherche à faire tout ce qu'il aime et vient un temps où le malheur arrive sur lui car il a épuisé tous ses goûts. Mais le sage ne cherche pas à faire ce qu'il aime, mais il cherche plutôt à aimer ce qu'il fait; car il est au service de l'Eternel.

Nous sommes les témoins du Christ devant un monde qui ne le connaît pas et qui ne peut le connaître que par notre témoignage.

Ralph Shallis

Nous devons servir Dieu comme il veut et non comme nous voulons.

Sainte Thérèse

La virginité du corps est le partage d'un petit nombre, mais tous doivent conserver la virginité du coeur.

Saint Augustin

Si nous ne brillons pas, les hommes chercheront ailleurs, ils prendront d'autres chemins que ceux qui conduisent à Bethléem.

Jean-Yves Garneau

Notre âme, convertie au Seigneur, devrait rougir d'avoir moins de zèle maintenant pour la justice qu'elle n'en avait jadis pour l'iniquité.

Saint Bernard

Saint Augustin disait aux incroyants de son temps : «En croyant de l'Evangile ce que vous voulez et en rejetant ce qui vous y déplaît, c'est plutôt en vous-mêmes que vous croyez qu'en l'Evangile».

S'il est quelque chose qui retienne ici-bas dans la sagesse et qui, parmi les tribulations et les tourbillons du monde maintienne l'équilibre de l'âme, je crois que, c'est avant tout la méditation et la science des Ecritures.

Saint Jérôme

Je ne veux pas que tu compares la peine à la récompense, mais si tu le peux, le temps à l'éternité.

Saint Augustin

Qui sont les ennemis de l'Eglise? Les païens, les juifs? Pires que tous, sont les chrétiens qui vivent mal. Qui sont les ennemis de Dieu? Ce sont tous ceux qui aiment le monde plus que Dieu. Saint Jacques dit d'eux qu'ils sont adultères.
Beaucoup blasphèment Dieu; si tu frappes contre

une colonne avec le poing, c'est toi que tu blesses, et tu penses qu'en frappant Dieu de blasphèmes, ce n'est pas toi que tu brises?

Saint Augustin

Ta prière est un entretien avec Dieu. Quand tu lis, c'est Dieu qui te parle par Sa Parole; quand tu pries, c'est toi qui parle à Dieu.

Saint Augustin

Le Seigneur est plus prompt à nous donner la sainteté, que nous à la désirer.

Saint Ignace de Loyola

On n'a pas le droit de se croire l'ami de Jésus-Christ quand on n'a pas souci des âmes qu'Il a rachetées au prix de l'effusion de son sang.

Saint Ignace de Loyola

L'orgueil, c'est l'amour de soi jusqu'au mépris de Dieu.
L'humilité, c'est l'amour de Dieu jusqu'au mépris de soi.

Saint Augustin

Que le riche s'efforce d'en arriver à ce point d'être le possesseur de ce qu'il possède sans permettre qu'il en soit lui-même possédé.

Saint Ignace de Loyola

L'obéissance à elle seule produit et entretient les autres vertus dans nos coeurs.

Saint Grégoire

Pour que quelqu'un sache se tenir à la tête des autres et les bien gouverner, il faut qu'au préalable il ait mis tous ses soins à obéir et qu'il soit devenu maître dans cette faculté.

Saint Ignace de Loyola

Comme nous mettons l'obéissance au-dessus de toutes les autres vertus, rien aussi ne mérite d'être plus sévèrement blâmé que la conduite de ceux qui, avant d'obéir examinent les ordres et les intentions de leurs supérieurs. Il n'y a pas là seulement un simple retard d'obéissance, mais une insupportable arrogance.

Saint Ignace de Loyola

Il faut tourner toutes vos armes contre le vice dont vous sentez que vous êtes plus violemment pressé et ne pas sonner la retraite avant, qu'avec l'aide de Dieu, vous ne l'ayez mis totalement hors de combat.

Saint Ignace de Loyola

Placez devant vos yeux, comme des modèles à imiter, non les faibles et les lâches, mais les courageux et les fervents.

Saint Ignace de Loyola

Quand sont en cause les principes fondamentaux de la loi chrétienne, il ne faut pas hésiter; lorsqu'il y a discussion même autour d'un seul point de l'Evangile, il faut se montrer net.

Jean XXIII

La vérité seule libère, elle est la seule réponse que chacun attend, mais que parfois, à cause de l'engagement qu'elle exige, l'on craint d'entendre.

Jean XXIII

Si vous voyez que vous passez votre temps à tomber; alors, passez-le à vous relever. Celui qui est en route et qui tombe, par accident, se relève cependant et continue à marcher. Il arrive ainsi, coûte que coûte, au but de son voyage qu'il n'achèverait jamais s'il restait dans la poussière ou dans la boue, sous prétexte qu'il a fait beaucoup de chutes.

Mgr A. Gonon

Le diable est semblable au serpent qui glisse tout son corps là où, une fois, il a passé la tête.

Saint Ignace de Loyola..

A propos du retour du Christ, le Pape Pie XII disait :
«Le retour du Christ n'est pas loin».
Jean XXIII disait :
«Le retour du Christ est proche».
Paul VI disait :
«Le retour du Christ est imminent».

Si les gens de bien décidaient de mettre autant d'ardeur à supporter financièrement les bonnes oeuvres, que les gens de mal en mettent à gaspiller pour répandre la corruption!

Mes frères et soeurs, vous devez croire vous aussi, que vos vies sont une glaise entre les mains d'un merveilleux sculpteur. Il ne fait jamais d'erreur. Si parfois, il est dur pour vous, c'est parce qu'il remporte alors ce que nous pourrions appeler des succès négatifs. Pour gagner aux échecs, il perd un pion. Il pert une bataille, afin de sauver un monde. Confiance! Ne vivez pas d'après les messages d'un autre, mais découvrez le message en vue duquel il vous pétrit.

R.W.

COMMENT LIRE
LE NOUVEAU TESTAMENT

Qu'est-ce que le Nouveau Testament?

1 — Bonne Nouvelle : veut dire Evangile.
2 — Doctrine Divine (évangile de St-Jean, chapitre 7, verset 16).
3 — Nouvelle Alliance que Dieu fait avec le genre humain. (Epître aux Hébreux, chapitre 8, verset 8).
4 — Guide spirituel de la perfection (clé de la connaissance) évangile de St-Luc, chapitre 11, verset 52).
5 — Nourriture pour l'âme (évangile St-Matthieu Chapitre 4, verset 4).
6 — Lumière pour l'âme (évangile de St-Jean chapitre 8, verset 12).
7 — La Vérité (évangile de St-Jean, chapitre 17, verset 17).

Pourquoi suivre le Nouveau Testament?

1 — Parce que c'est le récit de l'Alliance faite entre Dieu et les hommes.
2 — Parce que c'est une Alliance remplie de promesses divines.
3 — Parce qu'il faut juger nos actions à partir de ce que Dieu dit et non pas à partir de nos idées. Car autant de personnes il y a sur la terre, autant de différentes croyances il y a. Donc, il faut regarder sa vie à la lumière de la Parole de Dieu.
4 — Parce que c'est la carte routière qui mène au Royaume des Cieux.

La façon la plus simple de comprendre le Nouveau Testament est de le lire selon cet ordre :

1 — Evangile de St-Jean
2 — Epître de St-Jacques
3 — Première épître de St-Pierre
4 — Deuxième épître de St-Pierre
5 — Première épître de St-Jean
6 — Deuxième épître de St-Jean
7 — Troisième épître de St-Jean
8 — Evangile de St-Matthieu
9 — Première épître de St-Paul à Timothée
10 — Deuxième épître de St-Paul à Timothée
11 — Epître de St-Paul aux Galates
12 — Epître de St-Paul aux Ephésiens
13 — Epître de St-Paul aux Philipiens
14 — Epître de St-Paul aux Colossiens
15 — Actes des Apôtres
16 — Evangile de St-Luc
17 — Première épître de St-Paul aux Corinthiens
18 — Deuxième épître de St-Paul aux Corinthiens
19 — Epître de St-Paul à Tite
20 — Epître de St-Paul à Philémon
21 — Première épître de St-Paul aux Thessaloniciens
22 — Deuxième épître de St-Paul aux Thessaloniciens
23 — Epître de St-Paul aux Romains
24 — Evangile de St-Marc
25 — Epître de St-Paul aux Hébreux
26 — Epître de St-Jude
27 — Apocalypse de St-Jean

«Beaucoup de livres suggèrent des recettes de bonheur. Mais, à nos yeux, un livre surpasse tous les autres. Il s'agit du Nouveau-Testament qui contient les paroles de Jésus et de ses amis, les Apôtres. Pourquoi est-il le meilleur? Il fait passer un bonheur actuel et sans fin par un amour qui dure toujours. Jésus et ses amis, très concrets, nous livrent les lois qui conduisent inévitablement à cet amour et à ce bonheur. Bien plus, il nous font connaître quels moyens nous devons prendre afin de recevoir, dans ces cheminements de l'amour, un secours direct de Dieu. Lisez et relisez ce livre et vous trouverez une joie insoupçonnée jusqu'à maintenant. Une expérience honnête vous en convaincra». (Chan. J.C. Racine, curé de la Basilique Notre-Dame de Québec).

P.S. Si vous voulez un Nouveau-Testament gratuitement, veuillez nous écrire.

L'Equipe des Jeunes Catholiques à l'Oeuvre
C.P. 3619, St-Roch, Québec, P.Q. G1K 6Z7

Si vous désirez communiquer avec l'auteur de ce livre, veuillez écrire à :

Jacques Paquette
directeur de l'équipe des
Jeunes catholiques à l'oeuvre
C.P. 3619, St. Roch
Québec, P.Q.
G1K 6Z7

Imprimé au Canada
79696 — 1979
ISBN 0-919-33107-6